O *que* e o *quem* da EaD:
história e fundamentos

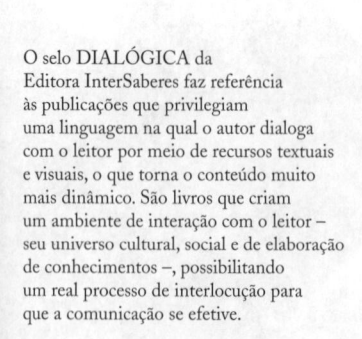

O selo DIALÓGICA da
Editora InterSaberes faz referência
às publicações que privilegiam
uma linguagem na qual o autor dialoga
com o leitor por meio de recursos textuais
e visuais, o que torna o conteúdo muito
mais dinâmico. São livros que criam
um ambiente de interação com o leitor –
seu universo cultural, social e de elaboração
de conhecimentos –, possibilitando
um real processo de interlocução para
que a comunicação se efetive.

EDITORA
intersaberes

O *que* e o *quem* da EaD:
história e fundamentos

Luís Fernando Lopes
Adriano Antônio Faria

EDITORA intersaberes

Rua Clara Vendramin, 58 – Mossunguê
CEP 81200-170 – Curitiba – PR – Brasil
Fone: (41) 2106-4170
www.intersaberes.com
editora@editoraintersaberes.com.br

Conselho editorial	Dr. Ivo José Both (presidente)
	Drª Elena Godoy
	Dr. Ulf Gregor Baranow
	Dr. Neri dos Santos
	Dr. Nelson Luís Dias
Editora-chefe	Lindsay Azambuja
Supervisora editorial	Ariadne Nunes Wenger
Analista editorial	Ariel Martins
Preparação de originais	Emely Borba Matos
Capa	Denis Kaio Tanaami
Ilustração de capa	Thyago Macson Maria
Projeto gráfico	Frederico Santos Burlamaqui
Diagramação	Stefany Conduta Wrublevski
Fotografias	Fotolia
Iconografia	Sandra Sebastião

Dados Internacionais de Catalogação na Publicação (CIP)
(Câmara Brasileira do Livro, SP, Brasil)

Faria, Adriano Antônio
  O que e o quem da EaD: história e fundamentos/Luís Fernando Lopes,
Adriano Antônio Faria. Curitiba: InterSaberes, 2013. (Série Fundamentos da Educação).

  Bibliografia.
  ISBN 978-85-8212-771-1

  1. Educação a distância 2. Educação – História I. Luís Fernando Lopes. II. Título.
III. Série.

12-13653   CDD-371.3

Índice para catálogo sistemático:
1. Educação a distância   371.3

Foi feito o depósito legal.
Informamos que é de inteira responsabilidade dos autores a emissão de conceitos.
Nenhuma parte desta publicação poderá ser reproduzida por qualquer meio ou forma sem a prévia autorização da Editora InterSaberes.
A violação dos direitos autorais é crime estabelecido na Lei nº 9.610/1998 e punido pelo art. 184 do Código Penal.

1ª edição, 2013.

Sumário

Apresentação, 9

Organização didático-pedagógica, 15

1 O processo histórico da educação a distância (EaD), 19
1.1 A evolução histórica da educação a distância (EaD) no mundo, 27 | 1.2 Educação a distância (EaD): a viagem no tempo, 36| 1.3 O contexto histórico da educação a distância (EaD) no Brasil, 51

2 Educação a distância (EaD): em busca de fundamentos, 77
2.1 Características e componentes da educação a distância (EaD), 80 | 2.2 Educação a distância (EaD) e formação continuada de professores, 89 | 2.3 Política, trabalho e educação, 96

3 O *que* e o *quem* da educação a distância (EaD), 109
3.1 Entendendo os fundamentos didático-pedagógicos da educação a distância (EaD), 122 | 3.2 As políticas educacionais e a legislação sobre educação a distância (EaD): aspectos gerais das leis educacionais brasileiras, 131 | 3.3 Organismos internacionais e as políticas de expansão da educação a distância (EaD), 143

4 Autonomia e ética na educação a distância (EaD), 163
4.1 Explorando o conceito de *autonomia*, 167 | 4.2 Articulação entre ética e educação, 175 | 4.3 Autonomia, ética e educação a distância (EaD), 176

Considerações finais, 189
Referências, 193
Bibliografia comentada, 209
Respostas, 213
Sobre os autores, 217

Mas sobre todas as invenções estupendas, que eminência de mente foi aquela de quem imaginou encontrar o modo de comunicar seus próprios pensamentos mais recônditos a qualquer outra pessoa, mesmo que distante por enorme intervalo de lugar e de tempo? Falar com aqueles que estão na Índia, falar com aqueles que ainda não nasceram e só nascerão dentro de mil ou 10 mil anos? E com que facilidade? Com as várias junções de vinte pequenos caracteres num pedaço de papel. Seja este o segredo de todas as admiráveis invenções humanas. (Galilei, 2004)

Apresentação

A educação a distância (EaD) está ganhando cada vez mais destaque no cenário atual, principalmente porque se adapta às diferentes realidades dos alunos que procuram formação por meio dessa modalidade educacional. Não se trata de uma forma facilitada de conseguir títulos, muito menos de formação de baixa qualidade, mas de uma modalidade que atende às necessidades de um público específico.

Após a publicação da Lei Federal nº 9.394, de 20 de dezembro de 1996, denominada *Lei de Diretrizes e Bases da Educação Nacional* (LDBEN – Brasil, 1996), a EaD ganhou *status* de modalidade plenamente integrada ao sistema de ensino, destacando em seu art. 80 que "o Poder Público incentivará o desenvolvimento e a veiculação de programas de ensino a distância, em todos os níveis e modalidades de ensino e de educação continuada".

Essa visibilidade foi alcançada por oferecer, atualmente, uma maior democratização ao acesso à educação, como mostram os dados dos últimos censos educacionais divulgados pelo Inep[a] (Instituto Nacional de Estudos e Pesquisas Educacionais Anísio Teixeira), possibilitando novas discussões no campo educacional, dentre as quais se apresenta a grande evolução dos suportes pedagógicos baseados na tecnologia.

[a] Estes dados serão apresentados e analisados no terceiro capítulo desta obra.

Cumpre pensarmos, no entanto, sobre a gênese da educação a distância, ou seja, quais fatos trouxeram luz a essa ação, quais condições sociais, políticas, econômicas e culturais estiveram presentes para que determinadas instituições, sujeitos fundadores e alunos concretizassem essa modalidade de ensino.

As sociedades contemporâneas e as que estão por vir irão colocar no palco as gerações que hoje adentram a escola e que exigem um novo tipo de indivíduo e de trabalhador em todos os setores econômicos. A resposta a essas perspectivas se fundará na necessidade de competências múltiplas do indivíduo, no trabalho em equipe e na capacidade de aprender e de se adaptar às mudanças (Belloni, 2008).

Não devemos nos esquecer de que a vivência de situações cotidianas modifica comportamentos, atitudes e decisões de vida, tornando a busca da formação um objetivo de vida. Isso implica tanto a educação direcionada à formação integral do indivíduo quanto o desenvolvimento intelectual de seu pensamento, de sua consciência e de seu espírito, de modo que se sinta capaz de viver em uma sociedade pluralista e em transformação permanente. É da educação a tarefa de fornecer instrumentos e condições que concretizem essa formação (Moraes, 1997).

É importante lembrarmos que a educação brasileira sofreu e sofre alterações ao longo do tempo, e as razões e resultados de discussões e implementações de mudanças em sua trajetória são registrados nas políticas educacionais, construindo a história da educação nacional, que despertou o interesse dos pesquisadores e resultou na elaboração desta obra. Assim, o desenvolvimento e o crescimento da EaD fazem com que haja a reflexão e o questionamento das alternativas relacionadas aos problemas socioeconômicos da educação, entre os quais está a democratização do acesso à educação de qualidade.

Entendemos, portanto, que o estudo e a análise dos fundamentos da EaD, bem como a pesquisa sobre essa modalidade de ensino, não podem prescindir de uma compreensão do processo histórico.

A história da educação no Brasil é construída com iniciativas estatais e privadas, tendo como base interesses que se coadunaram (ou não) com as necessidades sociais da população. Em uma sociedade em permanente mudança, a educação é um processo cada vez mais complexo, em que ensinar e aprender são um desafio que necessita ser enfrentado a todo instante.

Por isso, esta obra apoia-se numa perspectiva histórica e social, pois é preciso compreender os avanços educacionais ocorridos ao longo do tempo, que permitem a interpretação da educação a distância como uma possibilidade de inserção social e de propagação do conhecimento individual e coletivo, e que assim contribuem para a formação de uma sociedade que se pretende mais justa e equânime. Assim sendo, adotamos essa perspectiva de análise histórico-dialética que "possibilita entender a realidade social como constructos históricos que se referem a como o homem produz o que necessita para viver" (Pereira, 2003, p. 141).

Partimos do pressuposto que tal perspectiva permite captar a realidade concreta no seu dinamismo e nas inter-relações (Gamboa, 2007, p. 34), ou seja, captar o movimento histórico e se neste há tensões por conta dos projetos históricos. Esse referencial teórico metodológico orienta-se por uma concepção de que os seres humanos são históricos, de modo que tudo o que produzem, incluindo a EaD, também não escapa a essa premissa. Assim, todo estudo que se coloque nessa perspectiva não poderá negligenciar a dimensão histórica.[b]

[b] A educação é um processo, portanto, é o decorrer de um fenômeno (a formação do ser humano) no tempo, ou seja, é um fato histórico. Todavia, é histórico em duplo sentido: primeiro, no sentido de que representa a própria história individual de cada ser humano; segundo, no sentido de que está vinculada à fase vivida pela comunidade em sua contínua evolução. Sendo um processo, desde logo se vê que não pode ser racionalmente interpretada com os instrumentos da lógica formal, mas somente com as categorias da lógica dialética (Pinto, 2003, p. 30).

É preciso compreendermos a gênese e a trajetória da EaD, em especial no Brasil, e analisar a sua utilização, fundamentos, aplicabilidade e políticas que permitam "demarcar" períodos distintos dessa modalidade na educação brasileira e identificar o *que* e o *quem* da EaD, que constituem o objetivo principal desta obra.

Preparamos este livro com o intuito de colaborar com você, professor ou aluno, que busca ampliar sua formação no estudo da EaD, encontrando aqui fundamentos numa perspectiva histórica e atual para fazer frente aos desafios que a realidade educacional nos apresenta.

Para tanto, organizamos esta obra com objetivos específicos e a dividimos em quatro capítulos.

O primeiro capítulo, intitulado O processo histórico da educação a distância (EaD), tem como escopo apresentar a história da EaD e sua relação com o desenvolvimento social no contexto mundial e, particularmente, no âmbito brasileiro.

No segundo capítulo, de nome Educação a distância (EaD): em busca de fundamentos, apresentamos uma reflexão sobre a necessidade da pesquisa em educação, fazendo uma análise dos fundamentos da EaD, com destaque para a formação continuada de professores e a relação entre política, trabalho e educação.

O terceiro capítulo, que constitui o eixo central desta obra, discute sobre os fundamentos ontológicos, gnosiológicos/epistemológicos, ético-políticos e pedagógicos da EaD, com o título O que e o quem da educação a distância (EaD). Expõe também uma síntese das políticas para a EaD no Brasil, enfatizando a influência dos organismos internacionais na promoção dessas políticas.

No quarto e último capítulo, Autonomia e ética na educação a distância (EaD), analisamos a importância da autonomia baseada no comportamento ético como elemento indispensável aos docentes e discentes de EaD. Enfatizamos a articulação entre autonomia, ética e EaD como necessária para o êxito dessa modalidade.

Esperamos que o conteúdo desta obra possa colaborar na sua formação e na compreensão da EaD, bem como na superação de preconceitos ainda presentes em nossa sociedade relacionados a essa modalidade educacional.

Esta obra quer dialogar com você, professor ou aluno, com base em uma perspectiva histórica e social, apresentando a EaD como um dos recursos para promover a democratização do acesso à educação comprometida com a emancipação do ser humano.

Organização didático-pedagógica

Esta seção tem a finalidade de apresentar os recursos de aprendizagem utilizados no decorrer da obra, de modo a evidenciar quais aspectos didático-pedagógicos nortearam o planejamento do material e como o aluno/leitor pode tirar o melhor proveito dos conteúdos para seu aprendizado.

- Iniciando o diálogo

  Logo na abertura do capítulo, você é informado a respeito dos conteúdos que nele serão abordados, bem como dos objetivos que os autores pretendem alcançar.

  O propósito do presente capítulo é abordar o processo histórico da educação a distância (EaD) no mundo e particularmente no Brasil. Essa abordagem é de importância fundamental em face da perspectiva teórica que nos

- Pare e pense!

  Aqui você encontra reflexões que fazem um convite à leitura, acompanhadas de uma análise sobre o assunto.

- Indicações culturais

  Ao final do capítulo, os autores lhe oferecem algumas indicações de livros, filmes ou *sites* que podem ajudá-lo a refletir sobre os conteúdos estudados e permitir o aprofundamento em seu processo de aprendizagem.

- Atividades de autoavaliação
  Com estas questões objetivas, você tem a oportunidade de verificar o grau de assimilação dos conceitos examinados, motivando-se a progredir em seus estudos e a preparar-se para outras atividades avaliativas.

Atividades de autoavaliação

1. Para Moore e Kearsley (2007), a educação a distância (EaD) evoluiu ao longo da história, podendo ser caracterizada por cinco diferentes gerações. Enumere as gerações da EaD com suas respectivas características:

   I. Primeira geração da EaD.
   II. Segunda geração da EaD.
   III. Terceira geração da EaD.
   IV. Quarta geração da EaD.
   V. Quinta geração da EaD.

   ( ) Essa geração foi caracterizada principalmente pela invenção das universidades abertas.
   ( ) É a geração que envolve o ensino e o aprendizado *on-line*, em classes e universidades virtuais, baseadas em tecnologias da internet.
   ( ) É marcada pela interação a distância em tempo real, em cursos de áudio e videoconferência.
   ( ) É marcada pelo meio de comunicação textual, por meio da correspondência.
   ( ) É marcada pelo ensino por meio do rádio e televisão.

2. Palhares (2009) entende a criação da educação a distância (EaD) como ondas, aludindo a fases não estanques e que não configuram separação clara entre elas, ou seja, sem determinação de onde termina uma onda/fase e se inicia outra. Tendo como base essa percepção, assinale a alternativa que corresponde à onda/fase mais longa da história da EaD:

Síntese

Neste primeiro capítulo, apresentamos o processo histórico da EaD no mundo e particularmente no Brasil. Destacamos a história da EaD e sua relação com o desenvolvimento social e salientamos a importância da compreensão do que sejam ambas, história e EaD, já que a própria compreensão do que é história e do que é educação a distância são também constructos históricos.

Procuramos enfatizar a importância de compreender a EaD em uma perspectiva histórica, na qual o surgimento e as fases pelas quais passam a sua trajetória até o seu momento atual estão ligados a mudanças ocorridas nos sistemas produtivos.

O avanço das tecnologias de informação e comunicação permitiu uma melhoria qualitativa e quantitativa do conteúdo e do conhecimento das aulas e no número de oferta de cursos e instituições. A ênfase na necessidade de formação permanente, que também colabora para a expansão da EaD, surge em um contexto de reestruturação produtiva em que ganham destaque as políticas neoliberais.

No contexto brasileiro, a trajetória histórica da EaD é marcada por avanços e retrocessos decorrentes sobretudo da ausência de políticas públicas direcionadas. No entanto, a partir da década de 1990, a EaD entrou em um processo de afirmação em nosso país, passando da periferia para o centro das políticas educacionais.

- Síntese
  Você conta, nesta seção, com um recurso que o instigará a fazer uma reflexão sobre os conteúdos estudados, de modo a contribuir para que as conclusões a que você chegou sejam reafirmadas ou redefinidas.

- Atividades de aprendizagem
Aqui você dispõe de questões cujo objetivo é levá-lo a analisar criticamente um determinado assunto e integrar conhecimentos teóricos e práticos.

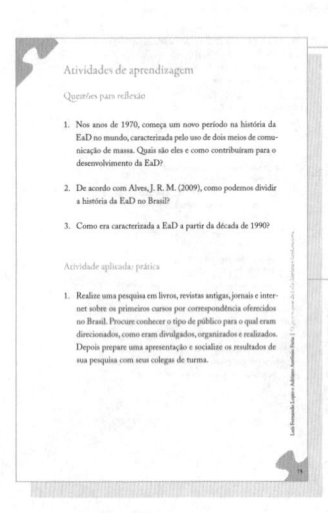

- Questões para reflexão
Estas questões têm o propósito de incentivá-lo a confrontar conhecimentos acumulados nas leituras dos capítulos com o seu próprio conhecimento de mundo, levando-o a analisar as múltiplas realidades que o rodeiam.

- Atividades aplicadas: prática
Com o objetivo de aliar os conhecimentos teóricos adquiridos nas leituras à prática, estas atividades pressupõem propostas de cunho eminentemente dialógico, seja em proposições de enquetes, entrevistas ou mesmo depoimentos, seja nos trabalhos em grupo, que contribuem para o compartilhamento de informações e experiências.

- Bibliografia comentada
Nesta seção, você encontra comentários acerca de algumas obras de referência para o estudo dos temas examinados.

1.

O processo histórico da educação a distância (EaD)

Iniciando o diálogo

O propósito do presente capítulo é abordar o processo histórico da educação a distância (EaD) no mundo e particularmente no Brasil. Essa abordagem é de importância fundamental em face da perspectiva teórica que nos orienta. No entanto, a maneira de tratar a história da EaD passa pela análise e compreensão do que sejam ambas – história e EaD –, já que a própria compreensão do que é história e do que é educação a distância são também constructos históricos.

> *Às vezes os novos meios de informação e comunicação são louvados por que ultrapassam os limites e as restrições do tempo, da distância geográfica e da dependência das pessoas, o que é considerado uma inovação decisiva e sem paralelo. No entanto, do ponto de vista pedagógico, isso significa que seus defensores estão tentando reinventar a roda.* (Peters, 2009, p. 28)

Na literatura que trata do tema, é possível notarmos essas diferentes compreensões que proporcionam análises e conclusões que também podem ser diferentes e até contraditórias. Partimos, aqui, do entendimento da "história como um processo, cujo movimento necessita ser reconstruído pelo historiador" (Saviani, 2010, p. 11). Nessa mesma perspectiva, entende-se a EaD como uma prática social que se desenvolve em condições concretas.

Um primeiro ponto a ser destacado é que a educação[a], antes de ser adjetivada por qualquer "modalidade", como a distância ou presencial, por exemplo, ou qualquer outra característica específica, é educação, ou seja, uma prática social de formação humana.

Saviani (2000b), ao tratar da natureza e especificidade da educação, começa por dizer que ela é um fenômeno próprio dos seres humanos. Essa afirmação conduz à reflexão sobre a identidade do ser humano, ou seja, o esclarecimento do que diferencia o ser humano dos demais fenômenos, dos outros seres vivos. E como o fazem Marx e Engels (2008) em *A ideologia alemã*, o que diferencia o ser humano dos outros animais é o trabalho.

[a] Do grego: Παιδεία; latim: *Educatio*; inglês: *Education*; francês: *Éducation*; alemão: *Erziebung*; italiano: *Educazione*. Em geral, designa-se com esse termo a transmissão e o aprendizado das técnicas culturais, que são as técnicas de uso, produção e comportamento, mediante as quais um grupo de homens é capaz de satisfazer suas necessidades, proteger-se contra a hostilidade do ambiente físico e biológico e trabalhar em conjunto, de modo mais ou menos ordenado e pacífico (Abbagnano, 2000, p. 305).

> *Podemos distinguir os homens dos animais pela consciência, pela religião, por tudo o que se queira. Mas eles próprios começam a distinguir-se dos animais logo que começam a produzir os seus meios de existência, e esse passo à frente é a própria consequência de sua organização corporal. Ao produzirem os seus meios de existência, os homens produzem indiretamente a sua própria vida material. O modo como os homens produzem os seus meios de existência depende, em primeiro lugar, da natureza dos próprios meios de existência encontrados e a reproduzir. Este modo da produção não deve ser considerado no seu mero aspecto de reprodução da existência física dos indivíduos. Ao contrário, ele representa, já, um modo determinado da atividade desses indivíduos, uma maneira determinada de manifestar sua vida, um modo de vida determinado. A maneira como os indivíduos manifestam sua vida reflete exatamente o que eles são. O que eles são coincide, pois, com a sua produção, isto é, tanto com o que produzem quanto com a maneira como produzem. O que os indivíduos são depende, portanto, das condições materiais da sua produção.* (Marx; Engels, 2008, p. 10-11)

Como você pôde notar, os autores citados não partem do conceito de homem, tampouco criam um conceito para identificá-lo e distingui-lo dos animais. Eles afirmam que a essência do ser humano é o conjunto das relações sociais (Marx; Engels, 2008). Dessa forma, "a conformação corpórea natural é condição necessária do ser homem, e não condição suficiente de modo que a humanização do ser biológico específico só se dá dentro da sociedade e pela sociedade" (Gorender, 2008, p. 24).

Com relação à história, Marx e Engels (2008) defendem uma concepção que se apoia no pressuposto de que é pelo trabalho que os homens se humanizam e, portanto, se diferenciam dos animais. Partem da ideia de

> A essência do ser humano é o conjunto das relações sociais (Marx; Engels, 2008).

que todos os seres humanos devem ter condições de viver para poder fazer história:

> *O primeiro fato histórico é, portanto, a produção dos meios que permitem satisfazer essas necessidades, a produção da própria vida material; e isso mesmo constitui um fato histórico, uma condição fundamental de toda a história que se deve, ainda hoje como há milhares de anos, preencher dia a dia, hora a hora, simplesmente para manter os homens com vida.* (Marx; Engels, 2008, p. 21)

A concepção de história apontada está diretamente relacionada com o trabalho, como uma ação adequada a finalidades, uma ação intencional, que distingue os indivíduos humanos que produzem seus meios de vida, condicionados por sua organização corpórea e associados em agrupamentos.

Com base nessas premissas, afirma Saviani (2000b, p. 15), no que diz respeito à educação: "Dizer, pois, que a educação é um fenômeno próprio dos seres humanos significa afirmar que ela é, ao mesmo tempo, uma exigência do e para o processo de trabalho, bem como é, ela própria, um processo de trabalho".

pare e pense! Mas se a educação é, assim, um processo de trabalho, que tipo de trabalho é esse?

Explica Saviani (2000b, p. 15) que, para produzir materialmente, o ser humano precisa conceber mentalmente o que irá produzir e como irá produzir, ou seja, ele produz ideias, conceitos, símbolos e valores, o que pode ser compreendido como trabalho não material. Trata-se, pois, do "conhecimento das propriedades do mundo real (ciência), de valorização (ética) e de simbolização (arte)", e constitui o instrumento que permite antecipar em ideias a ação do trabalho material. É nessa categoria de trabalho que se situa a educação. Mas, ainda nessa caracterização, é preciso distinguir o trabalho não material, em que o produto se separa do produtor, como a produção de livros, e aquele no qual o produto não se separa do ato produtivo. É nessa segunda modalidade que se situa a educação e sua natureza se explica com base nessa premissa (Saviani, 2000b).

Como exemplifica o mesmo autor:

> *se a educação não se reduz ao ensino, é certo, entretanto, que ensino é educação e, como tal, participa da natureza própria do fenômeno educativo. Assim, a atividade de ensino, a aula, por exemplo, é alguma coisa que supõe, ao mesmo tempo, a presença do professor e a presença do aluno. Ou seja, o ato de dar aula é inseparável da produção desse ato e de seu consumo. A aula é, pois, produzida e consumida ao mesmo tempo (produzida pelo professor e consumida pelos alunos).*
> (Saviani, 2000b, p. 16-17)

A partir dessas considerações sobre a natureza da educação, avança o autor na compreensão da sua especificidade e a situa como referida aos conhecimentos, ideias, conceitos, valores, atitudes e símbolos, sob o aspecto de elementos necessários à formação da humanidade em cada indivíduo singular como uma segunda natureza, que se produz em um processo pedagógico histórico e intencional.

Saviani (2000b, p. 28) finaliza:

> *Em conclusão: a compreensão da natureza da educação enquanto trabalho não material cujo produto não se separa do ato da produção nos permite situar a especificidade da educação como referida aos conhecimentos, ideias, conceitos, valores, atitudes, símbolos sob o aspecto de elementos necessários à formação da humanidade em cada indivíduo singular, na forma de uma segunda natureza, que se produz*

deliberada e intencionalmente, através de relações pedagógicas historicamente determinadas que se travam entre os homens.

Essas considerações nos ajudam a compreender o que (fenômeno social) e o quem (ser humano histórico-social) da educação, como propõe o título desta obra, e nos fazem perceber que o fenômeno educativo é muito mais complexo do que pode aparentar em um primeiro momento, de modo superficial.

> Essa complexidade deriva principalmente do fato de se tratar de uma prática essencialmente humana e que, como tal, também carrega as características inerentes ao ser social que a produz e que é por ela produzido.

Adriano Antônio Faria

Convém, agora, avançarmos em nossas reflexões, focalizando o objetivo principal deste estudo: a compreensão do que e do quem da EaD, iniciando por um "itinerário" que passa primeiramente pela história da EaD no mundo e particularmente no Brasil.

1.1
A evolução histórica da educação a distância (EaD) no mundo

Peters (2009, p. 27), considerado uma importante autoridade no campo da educação a distância (EaD), escreveu no primeiro capítulo da sua obra *A educação a distância em transição* que "A história da Educação a Distância[b] tem sempre sido a história de sua crescente importância".

Para Peters (2009, p. 17), que concebe a EaD como "a forma mais industrializada de ensino e aprendizagem", **pode-se dividir a história da EaD mundial em quatro períodos significativos**, sendo a importância dessa modalidade de ensino diferenciada em cada um deles.

As primeiras experiências de EaD foram singulares e isoladas e, com relação a elas, Peters (2009) faz menção às epístolas de São Paulo[c] (10-76 d.C.), escritas com a finalidade de ensinar as comunidades cristãs da Ásia Menor a maneira de viver como cristão em um ambiente desfavorável. Segundo Peters (2009), a abordagem de São Paulo teve base na tecnologia disponível na época – carta/correspondência –, ainda que pré-industrial, e mostra claramente a substituição da pregação e do ensino face a face por pregação e ensino mediado por correspondência.

---

b
As expressões *ensino a distância* e *educação a distância* já eram utilizadas na Alemanha na década de 1960, em substituição à expressão *estudo por correspondência*, em uso durante mais de um século (em 1967 foi criado o *Deutsches Institut für Fernstudium* (Diff – Instituto Alemão de Educação a Distância). O sueco Börje Holmberg passou a empregá-la e divulgá-la, inicialmente. Os ingleses Desmond Keegan e Charles A. Wedemeyer (1966) introduziram essa designação no mundo anglo-saxônico a partir da criação da Open University (Universidade Aberta), em 1969 (Garcia Aretio, 1994, p. 28-29; Niskier, 1999, p. 53, citado por Preti, 2002, p. 29-30).

c
São Paulo, nascido na cidade de Tarso, Turquia, era conhecido como o Apóstolo Paulo, ou Saulo de Tarso. Esse apóstolo foi um dos mais influentes escritores do cristianismo. Seus escritos (cartas/epístolas) compõem boa parte do Novo Testamento da Bíblia.

Martins (2005) também afirma que desde a Antiguidade pode-se constatar iniciativas de intercambiar informações entre pessoas ou cidades distantes geograficamente. O uso da comunicação por correspondência estava presente tanto na Grécia como em Roma, posteriormente. Contudo, **será na Modernidade que aparecerão as primeiras iniciativas de ensinar a distância.**

O professor Gauleb Philips publicou em 1728 um anúncio na Gazeta de Boston oferecendo um curso de taquigrafia[d], no qual as pessoas de outras localidades poderiam receber as lições semanalmente em casa e "aprender perfeitamente esta arte como aqueles que viviam em Boston" (Saraiva, 1996, p. 18).

[d] É um método de escrita (abreviado ou simbólico) que tem a finalidade de tornar a escrita mais rápida.

No entanto, é no século XIX, na Europa, que o ensino por correspondência se caracterizou como a **primeira geração da EaD no mundo**. No que diz respeito a esse primeiro período, Peters (2009) afirma que, em meados do mesmo século, essa prática de EaD pôde ser identificada em todos os locais onde a industrialização modificou as condições sociais, tecnológicas e profissionais de vida. De modo um tanto paradoxal, o autor afirma que a mudança na prática educacional foi tão forte na época que algumas necessidades educacionais não foram sequer reconhecidas. Entretanto, os empresários do início da Revolução Industrial, sobretudo os editores, "perceberam que poderiam lucrar com a produção e a distribuição em massa de materiais para estudo utilizando as tecnologias dos correios e das ferrovias" (Peters, 2009, p. 30).

Na obra *Didática do ensino a distância*, Peters (2006) mostra que a EaD teve sua origem na iniciativa privada e explica o motivo pelo qual a EaD se desenvolveu em meados do século XIX, desvinculada das instituições governamentais.

> No ensino a distância não se visava – como acontece geralmente no ensino público – buscar recursos financeiros, a fim de que pessoas pudessem formar-se e receber educação, mas sim se queria que as pessoas estudassem algo para que a instituição que oferecia ensino pudesse ganhar dinheiro – portanto, ter lucro. O surgimento do ensino a distância tinha motivos comerciais. Seus pioneiros eram empresários. (Peters, 2006, p. 200)

Verifica-se que o ensino por correspondência acompanhou a industrialização do trabalho em dois aspectos importantes:

1. por um lado, preenchendo lacunas do sistema educacional;

2. por outro, compensando as suas deficiências, sobretudo no treinamento profissional (Peters, 2006).

Como se pode notar, existe uma relação direta entre as mudanças no modo de produção da vida, ou seja, no mundo do trabalho, e as necessidades que surgem no campo educacional. A organização dominante do capitalismo nesse primeiro período da EaD era o **fordismo**[e]. Para Harvey (1996), esse modelo industrial propõe a produção em massa para mercados de massa, tendo como princípios a baixa inovação dos produtos, a baixa variabilidade dos processos de produção e a baixa organização de trabalho.

As iniciativas de EaD nessa primeira fase procuravam atender às necessidades dessa organização produtiva, quando o processo artesanal de trabalho foi ficando cada vez mais industrializado. Empregam-se no trabalho educativo os princípios da produção em massa e do consumo em massa,

[e] Diz respeito aos sistemas de gestão e produção em massa elaborados pelo norte-americano Henry Ford, em 1913. O fordismo é uma forma de racionalização da produção capitalista que, por meio de uma organização "científica" do trabalho, busca desenvolver uma produção em massa baseada na intensificação, economicidade e produtividade para um mercado consumidor universal (Melo, 2011, p. 48).

> onde até então, no caso do docente, tudo estava na mão de uma única pessoa, foi estabelecida a divisão do trabalho, colocando por exemplo, o planejamento, o desenvolvimento e a exposição do ensino, bem como a correção dos trabalhos nas mãos de diversas pessoas, podendo as tarefas serem realizadas em épocas diferentes, em lugares diferentes. (Peters, 2006, p. 200)

Dessa forma, explica Peters que, onde os docentes realizavam o ensino até então, usando suas capacidades físicas, o processo foi mecanizado e depois automatizado, padronizado, normalizado e definido, ou seja, objetivado. O ensino tornou-se um produto que podia ser modificado e otimizado, podendo ser vendido não apenas *in loco*, mas como mercadoria produzida industrialmente, anunciada com propaganda para venda em um mercado suprarregional. O trabalho das universidades a distância fundadas a partir da década de 1970, principalmente pela Open University (OU), confirmam essa concepção de ensino industrializado (Peters, 2006).

Nesse contexto, é possível perceber também a presença da ideologia da teoria do capital humano[f], que postula a necessidade de investir em educação para proporcionar o desenvolvimento econômico.

Esse segundo período da história da EaD no mundo coincide com o período no

---

[f] A origem dessa teoria liga-se ao surgimento da disciplina Economia da Educação nos Estados Unidos, em meados dos anos de 1950. Theodore W. Schultz, professor do Departamento de Economia da Universidade de Chicago, à época, é considerado o principal formulador dessa disciplina e da ideia de capital humano. Essa disciplina específica surgiu da preocupação em explicar os ganhos de produtividade gerados pelo "fator humano" na produção. A conclusão de tais esforços redundou na concepção de que o trabalho humano, quando qualificado por meio da educação, era um dos mais importantes meios para a ampliação da produtividade econômica, e, portanto, das taxas de lucro do capital. Aplicada ao campo educacional, a ideia de capital humano gerou toda uma concepção tecnicista sobre o ensino e sobre a organização da educação, o que acabou por mistificar seus reais objetivos (Minto, 2001).

qual a humanidade passou por duas grandes guerras mundiais. Também nesse período predominou a economia **keynesiana**[g] e a política do Estado de bem-estar que, na chamada *era de ouro* do capitalismo, preconizava o pleno emprego. A educação, conforme a versão originária da teoria do capital humano, tinha por função preparar as pessoas para atuar em um mercado em expansão (Saviani, 2010, p. 429).

[g] O keynesianismo propõe uma organização político-econômica, na qual o Estado é o agente indispensável de controle da economia para proporcionar uma situação de pleno emprego.

Nos anos de 1970 começou um novo período na história da EaD no mundo, caracterizado pelo uso de dois meios de comunicação de massa: o rádio e a televisão. Desse modo, a produção em massa de materiais impressos foi suplementada pelas transmissões desses meios de comunicação.

Entretanto, esse terceiro período da história da EaD no mundo coincide com a crise das sociedades capitalistas que levou à reestruturação dos processos produtivos, revolucionando a base técnica da produção e conduzindo à substituição do fordismo pelo toyotismo[h]. Esse novo modelo produtivo (o toyotismo), diversamente do anterior, apoia-se em uma tecnologia leve, de base microeletrônica flexível, opera com trabalhadores polivalentes e sem estabilidade no emprego, que disputam diariamente seu lugar na empresa. Produz-se conforme a demanda de nichos específicos, dispensando a formação de estoques (Saviani, 2010).

Peters (2009) considera que, nos anos de 1970, 1980 e 1990, a EaD ajudou as universidades nos países industrializados e nos países em desenvolvimento a canalizar um crescente número de alunos que não completaram o segundo grau para a educação superior, desenvolvendo novas formas de combinação de trabalho e estudo.

A partir de 1990 começa, então, o quarto período na história da EaD no mundo, caracterizado pelo uso crescente de ambientes informatizados de aprendizagem em rede, portanto, da aprendizagem *on-line*. Sobre esse período, Peters (2009, p. 41) afirma que os sistemas educacionais, pressionados por uma variedade de forças sociais, econômicas e tecnológicas, estão se modificando de forma rápida e dramática, e "É por causa dessas mudanças que a importância da EaD está agora novamente aumentando".

---

[h] Trata-se de um modo de organização da produção capitalista que tem origem no Japão. É caracterizado pelo *Just in Time*, ou seja, a produção de um bem exatamente no momento em que ele é demandado. Foi desenvolvido nas fábricas da montadora de automóveis Toyota, após a Segunda Guerra Mundial, e tinha como elemento principal a flexibilização da produção. Ao contrário do modelo fordista, que produzia muito e estocava essa produção, no toyotismo só se produzia o necessário, reduzindo ao máximo os estoques e buscando a qualidade total. O japonês Taiichi Ohno é considerado o maior responsável pela criação do chamado *Sistema Toyota de Produção* (Pinto, 2010).

No entanto, conforme afirma Saviani (2010, p. 420-430), se após a crise da década de 1970 a importância da escola – e pode-se dizer da educação – para o processo econômico-produtivo foi mantida, a teoria do capital humano assumiu um novo sentido. Se o significado anterior estava pautado em demandas coletivas, como o crescimento econômico do país, a riqueza social e o incremento do rendimento dos trabalhadores, na década de 1990 prevalece outro significado, derivado de uma lógica que prioriza a satisfação de interesses privados. Agora não se trata mais de iniciativas do Estado ou de outras instâncias planejadoras objetivando a preparação de mão de obra, mas é o indivíduo o responsável por escolher quais conhecimentos adquirir para manter-se competitivo no mercado de trabalho. "A educação passa a ser entendida como um investimento em capital humano individual que habilita as pessoas para a competição pelos empregos disponíveis" (Saviani, 2010, p. 430).

"A educação passa a ser entendida como um investimento em capital humano individual que habilita as pessoas para a competição pelos empregos disponíveis" (Saviani, 2010, p. 430).

É justamente nesse contexto que ganha destaque o discurso pela formação continuada de professores e a ênfase na EaD. Os discursos expressos nos documentos oficiais de organismos internacionais como o Banco Mundial[i], a Unesco[j] e a Cepal[k] apontam para essa direção, incentivando e financiando Estados e favorecendo a introdução da iniciativa privada no oferecimento desse tipo de formação que deve ser por toda vida.

Contudo, manter-se em formação permanente não significa garantia de emprego, mas apenas estar em condições de disputar uma vaga no mercado de trabalho.

Com relação e essa concepção de **educação permanente**[l], Peters (2006) afirma que podem ser registradas **duas etapas**:

- A primeira começou em 1970, quando organismos supranacionais como a Unesco, a OCDE[m], o Conselho Europeu e a Conferência Permanente dos Ministros de Cultura Europeia utilizaram o conceito e se engajaram em favor da realização da educação permanente.

- A segunda começa na metade dos anos de 1990 e tem uma nova qualidade: a exigência das transformações técnicas, sociais e econômicas. "Hoje a expressão **educação permanente** está novamente na boca de todos" (Peters, 2006, p. 190, grifo nosso).

As decisões tomadas em Conferências Mundiais sobre Educação também confirmam essa adesão aos princípios da ordem econômica atual, denominada *pós-fordista* e *pós-keynesiana*, que se alicerça na exclusão. Contraditoriamente, esses organismos promovem um discurso aparente de inclusão, mas que na prática converte-se no agravamento

---

i

É um dos principais organismos multilaterais internacionais de financiamento do desenvolvimento social e econômico. Foi concebido durante a Segunda Guerra Mundial na Conferência de Bretton Woods, nos Estados Unidos da América, realizada em 1944. Segundo o discurso oficial, sua meta principal é reduzir a pobreza no mundo.

j

A Organização das Nações Unidas para a Educação, a Ciência e a Cultura foi fundada no ano de 1945, com a finalidade de promover a paz e a segurança no mundo por meio da educação, da cultura, da ciência e das comunicações.

k

A Comissão Econômica para a América Latina e o Caribe teve sua gênese no ano de 1948, pelo Conselho Econômico e Social das Nações Unidas, tendo como objetivo principal o incentivo e a cooperação econômica entre os países-membros.

das desigualdades impostas pelo sistema capitalista. De acordo com Saviani (2010), é possível a economia crescer mesmo com altas taxas de desemprego e a exclusão de enormes contingentes populacionais do processo.

O que se expôs até aqui oferece subsídios para algumas possíveis considerações:

- tudo o que os seres humanos produzem é histórico. Assim, a EaD também precisa ser entendida nessa perspectiva;

- o surgimento e as fases pelas quais passam a trajetória histórica da EaD até o seu momento atual estão ligadas a mudanças ocorridas nos sistemas produtivos;

- a ênfase na necessidade de formação continuada de professores, utilizando para isso os recursos da EaD, surge em um contexto de reestruturação produtiva em que ganham destaque as políticas neoliberais.

Após essas breves considerações, vamos agora dedicar mais atenção a cada um desses momentos que compõem o processo histórico da EaD no mundo e particularmente no Brasil.

l

A dificuldade de descrever e delimitar o conceito de estudo permanente de forma precisa provém do modo como ele surgiu. No fundo, ele denomina todo um conjunto de conceitos, no qual se localizam ideias-alvo e, em parte, estratégias defendidas por diferentes instituições supranacionais. A ideia fundamental, no entanto, era fazer com que, a partir de então, o ensino não ficasse restrito à infância, à juventude e às respectivas instituições, mas, sim, que se distribuíssem a educação escolar, a educação profissional e a formação complementar de modo novo ao longo do ciclo de vida (Peters, 2006, p. 191).

m

Criada em 1961, a Organização para a Cooperação e Desenvolvimento Econômico sucedeu a Organização para a Cooperação Econômica Europeia. Seu principal objetivo é promover políticas que melhorem o desenvolvimento econômico e bem-estar das pessoas ao redor do mundo.

1.2
Educação a distância (EaD): a viagem no tempo

A trajetória da EaD segue paralela à evolução do processo produtivo, com destaque para as tecnologias de comunicação, o que permitiu um avanço qualitativo e quantitativo na melhoria do conteúdo e do conhecimento das aulas e no número de oferta de cursos e instituições.

Conhecer a trajetória da EaD, identificar os suportes pedagógicos utilizados e interpretar a legislação pertinente ao tema nos possibilita compreender essa modalidade de ensino que congrega as mais avançadas tecnologias de comunicação e os primeiros fundamentos do ensino. Assim, presente e passado trabalham unidos com a perspectiva de aprimorar o conhecimento.

A Linha do Tempo sobre a EaD no mundo e no Brasil consta na página *web* do Portal da Cátedra Unesco de Educação a Distância, da Universidade de Brasília (UnB), no *link* "Linha do Tempo".

Para saber mais, acesse: <http://www.fe.unb.br/catedraunescoead>.

Essa página registra a informação de que

> Inicialmente na Grécia e depois em Roma, existia uma rede de comunicação que permitia o desenvolvimento significativo de correspondência. As cartas que transmitiam conteúdos pessoais e coletivos juntavam-se às que transmitiam informações científicas e àquelas que, intencional e deliberadamente se destinavam à instrução. (Pereira; Moraes, 2012)

Trata-se de um registro que pode indicar a presença da EaD, de modo empírico, nas antigas civilizações.

Fazer um resgate histórico da EaD implica fazer referência às primeiras instituições dessa modalidade de ensino surgidas em várias partes do mundo. Alves, J. R. M. (2009) demarca o surgimento da EaD já no século XV, com o surgimento da imprensa de Gutemberg, na Alemanha. Para Moore e Kearsley (2007), porém, a EaD evoluiu ao longo da história, podendo ser caracterizada por diferentes gerações:

> Presente e passado trabalham unidos com a perspectiva de aprimorar o conhecimento.

- A primeira foi marcada pela comunicação textual, por meio da correspondência;
- A segunda geração foi do ensino por rádio e televisão;
- A terceira caracteriza-se principalmente pela invenção das universidades abertas.
- A quarta geração foi marcada pela interação a distância em tempo real, em cursos de áudio e videoconferências.
- A mais recente, a quinta geração, é a que envolve o ensino e o aprendizado *on-line*, em classes e universidades virtuais, baseadas em tecnologias da internet.

Assim, para a primeira geração, constam como início os cursos de instrução entregues pelo correio, denominados *estudo por correspondência* ou *estudo em casa* pelas escolas com fins lucrativos, e como *estudo independente* pelas universidades.

Palhares (2009) ressalta que a caracterização de EaD por correspondência deve ser permeada pela relação estabelecida entre aluno e tutor, mediada pelo correio em um processo que vai muito além do tipo de material didático utilizado, contemplando a remessa de lições, trabalhos e provas enviadas pela escola ao aluno e devolvidas com pagamento realizado pelos serviços disponibilizados pelos correios.

Niskier (2009) comenta sobre relatos de uma tentativa para estabelecer um curso por correspondência na Inglaterra, com direito a diploma, em 1880. Essa ideia foi rejeitada pelas autoridades locais e então os autores da proposta foram para os Estados Unidos da América (EUA), encontrando espaço na Universidade de Chicago. Em 1882, surgiu o primeiro curso universitário de EaD nessa instituição, com material enviado pelo correio. Em 1906, a Calvert School, em Baltimore, EUA, tornou-se a primeira escola primária a oferecer cursos por correspondência.

Na Alemanha, a primeira escola por correspondência surgiu em 1890, exemplo seguido por diversos países que viram na EaD a oportunidade de ministrar cursos de nível médio, técnico, de pós-graduação e de nível universitário (IUB, 2010).

O ensino universitário a distância veio com a instituição da Universidade Aberta, na Inglaterra, marcando um momento de vanguarda no ensino superior a distância no mundo, na Rússia, com o Instituto Agrícola Stavropol, e em demais países, incluindo a Espanha, França, Itália, Canadá, Bélgica e Japão (IUB, 2010).

Segundo Nunes (2009) e Landim (1997), provavelmente a primeira notícia que se registrou da introdução desse novo método de EaD foi o anúncio das aulas por correspondência ministradas por Caleb Philips (20 de março de 1728, na Gazeta de Boston, EUA), que enviava suas lições todas as semanas para os alunos inscritos.

Também é referido o trabalho do Bispo John H. Vincent, cofundador do Movimento Chautauqua, na criação do Círculo Literário e Científico Chautauqua, organização que oferecia um curso por correspondência com duração de quatro anos. Em 1883, esse curso foi autorizado pelo Estado de Nova Iorque a conceder diplomas e graus de bacharel por correspondência (Moore; Kearsley, 2007).

De acordo com Alves (2009), a difusão da EaD no mundo se deve principalmente à França, Espanha e Inglaterra. Nesse sentido, Litto e Formiga (2009) destacam que, ao contrário do que acontece no Brasil, onde existe um controle governamental centralizador sobre a educação superior, em outras nações havia possibilidades de inovação e, assim, o desenvolvimento de cursos e estratégias de ensino ocorreu mais rapidamente.

Na Grã-Bretanha, em 1840, Isaac Pitman utilizou o sistema nacional de correios para o ensino de taquigrafia (Moore; Kearsley, 2007; Alves, G. M., 2009). Na Europa, foi iniciado o intercâmbio do ensino de línguas pelo francês Charles Toussaint e pelo alemão Gustav Langenscheidt, em 1850, "levando à criação de uma escola de idiomas por correspondência" e incentivando iniciativas nesse sentido ao redor do mundo (Moore; Kearsley, 2007, p. 26).

De acordo com Nunes (2009), a instituição Skerry's College, em 1880, ofereceu cursos preparatórios para concursos públicos. Nos EUA, em 1891, surgiu a oferta de curso sobre segurança nas minas, que teve como organizador Thomas J. Foster. Em 1910, a Universidade de Queensland, na Austrália, iniciou programas de ensino por correspondência. Segundo o mesmo autor,

> *Do início do século XX até a Segunda Guerra Mundial, várias experiências foram adotadas, sendo possível melhor desenvolvimento das metodologias aplicadas ao ensino por correspondência. Depois, as metodologias foram fortemente influenciadas pela introdução de novos meios de comunicação de massa.* (Nunes, 2009, p. 3)

Saraiva (1996) descreve também a criação do Instituto Hermod, pelo diretor de uma escola que ministrava cursos de línguas e cursos comerciais, Hans Hermod, que publicou no ano de 1898 o primeiro curso por correspondência.

O processo operacional da educação por correspondência compreendia o recolhimento de cartas nos correios, diariamente, numeradas sequencialmente, datadas e abertas. O conteúdo das cartas era grampeado ao envelope, passando-se à triagem ou separação da correspondência conforme a solicitação contida, que poderiam ser pedidos de informações sobre cursos, pedidos de matrícula, pagamentos, consultas sobre dúvidas encontradas nas lições, exames para serem avaliados, documentos, solicitações de providências ou reclamações e assuntos de ordem pessoal ou familiar dos alunos (Palhares, 2009).

> Moore e Kearsley (2007, p. 27) salientam que "o motivo principal para os primeiros educadores por correspondência era a visão de usar tecnologia para chegar até aqueles que de outro modo não poderiam se beneficiar dela". Nesse tipo de educação, havia a inclusão das mulheres, que acabaram por desempenhar importante papel na história da EaD, como, por exemplo, sob a liderança de Anna Eliot Ticknor, que, em 1873, fundou uma das primeiras escolas de estudos em casa, a Society to Encourage Studies at Home, com a intenção de auxiliar as mulheres, a quem era negado o acesso às instituições educacionais formais, com a oportunidade de estudar por meio de materiais entregues em suas casas.

Palhares (2009) entende a criação da EaD como ondas, aludindo a fases não estanques e que não configuram separação clara entre elas, ou seja, sem determinação de onde termina uma onda/fase e se inicia outra. Segundo essa percepção, a onda do ensino por correspondência é apontada como a mais longa, e continua sendo utilizada na contemporaneidade.

Segundo Moore e Kearsley (2007, p. 28), em 1968, um dos estudos mais completos de educação por correspondência foi o projeto denominado Pesquisa em *Educação por Correspondência*, e em seus resultados confirmou-se que 3 milhões de norte-americanos estudavam por meio desse método em todo o país.

> Na opinião de Nogueira e Moraes (2009), o surgimento da EaD deu-se pela necessidade de formação e qualificação profissional de pessoas sem acesso e/ou condições de frequentar um estabelecimento de ensino presencial.

Assim, na opinião de Nogueira e Moraes (2009), o surgimento da EaD deu-se pela necessidade de formação e qualificação profissional de pessoas sem acesso e/ou condições de frequentar um estabelecimento de ensino presencial. A sua evolução acompanhou as mudanças no mundo produtivo e a evolução própria das tecnologias desenvolvidas em cada momento histórico, influenciando o ambiente educativo e a sociedade como um todo.

1.2.1 A educação a distância (EaD) a partir da década de 1960

Esse é um período de transição do modelo econômico e das concepções educacionais que foi gerado principalmente pela evolução da tecnologia. Começou com a queda do modelo fordista, que não conseguiu atender o processo operacional. Surgiram novos modelos de produção industrial que buscavam ser mais eficientes, com base no uso intensivo das possibilidades geradas pelo avanço tecnológico, e foram criadas novas formas de organização do trabalho. Na educação presencial não foi diferente, pois o modelo fordista perdia cada vez mais seu terreno (Guarezi; Matos, 2009, p. 28).

É nesse contexto que se pode falar do surgimento da segunda geração da EaD, a partir da década de 1960, e que se estende até início dos anos 1990. Essa fase se caracteriza, principalmente, pela integração dos meios de comunicação audiovisuais.

Trata-se, segundo Guarezi e Matos (2009), do marco inicial[n] do uso de outros modelos de EaD, como o rádio e a televisão:

[n] Apesar de haver registros anteriores de iniciativas com esses modelos, por exemplo, no Brasil, a Rádio Sociedade do Rio de Janeiro, que em 1923 transmitia programas educacionais (Guarezi; Matos, 2009).

> Porém foi nos anos 1960, segundo a maioria dos autores pesquisados, que se efetivaram as maiores experiências com esses novos modelos, por exemplo, a Beijing Television College, na China; o Bacharelado Radiofônico, na Espanha, e a Open University, na Inglaterra. Nessa fase, tem-se como modelo de produção industrial o neofordismo. Esse modelo investiu em estratégias de alta inovação dos produtos e na alta variabilidade do processo de produção, mas conservou ainda do fordismo a organização fragmentada e controlada do trabalho. Essa transição impulsionou a EaD a buscar novos caminhos na tentativa de superação dos paradigmas da sociologia industrial. Nesse período, passaram a coexistir duas tendências: de um lado um estilo ainda fordista de educação de massa e do outro uma proposta de educação mais flexível, supostamente mais adequada às novas exigências sociais. (Guarezi; Matos, 2009, p. 30)

Nota-se que a transição ocorrida nesse período, impulsionada pelas novas tecnologias de comunicação da época (rádio e TV), tende a tornar a EaD mais aberta, no sentido de oferecer maiores oportunidades aos alunos. Com o surgimento dessas novas tecnologias, a EaD ganha novos aliados que a fortalecem e viabilizam sua expansão, agora não mais somente com a correspondência, mas com tecnologias conjugadas que se complementam (áudio, imagem e material impresso), um conjunto de possibilidades para melhor e mais rápida aprendizagem.

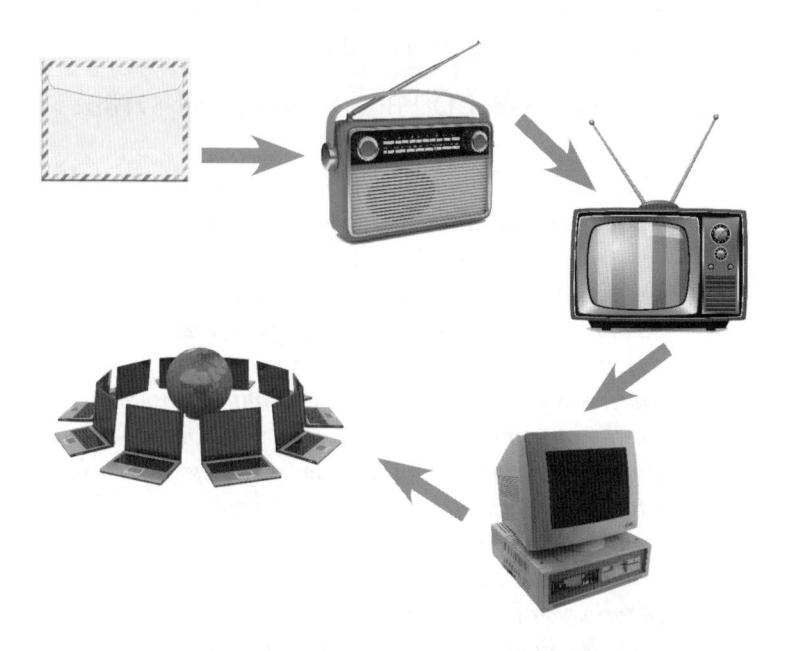

De acordo com Perry e Rumble (1987), o verdadeiro impulso para o desenvolvimento se deu a partir de meados da década de 1960, com a institucionalização de várias ações no campo da educação secundária e superior, começando pela Europa e se expandindo aos demais continentes.

Para outros autores, entre eles Nunes (2009), podem-se encontrar as origens mais recentes dessa modalidade de ensino simultaneamente em vários lugares do mundo, mas, pelo seu êxito, a Open University (OU), na Inglaterra, que surgiu no final dos anos de 1960 e iniciou seus cursos em 1970, passou a ser referência mundial.

Nos anos de 1960 a 1970, as experiências com a educação pelo rádio no Brasil destacaram o caráter instrucional, com oferta de cursos regulares destinados à alfabetização de adultos, à educação supletiva e à capacitação para o trabalho. A eficácia relatada na história dessa metodologia de educação a distância residia na reprodução de um ambiente de sala de aula e na produção de programas educativos (Del Bianco, 2009).

Sobre o uso do rádio, Del Bianco (2009, p. 56-57) diz:

> *Como meio de comunicação social de amplo alcance, o uso do rádio no sistema de aprendizagem a distância possui vantagens e desvantagens decorrentes de sua natureza tecnológica. A mais importante característica é a unissensorialidade. Rádio é som, o que inclui o texto, a fala, a música, os ruídos e efeitos sonoros. O código sonoro tem o poder de personificar materialmente o espaço físico, transmitir sensações (temor, medo, amor, paixão), conceitos ou representações. Remete a um referencial de tempo, modo, espaço ou ambiência. No rádio a ausência de imagens não é uma inferioridade, ao contrário [...] é uma superioridade porque na unissensorialidade reside o eixo da intimidade. Por meio da imagem que se forma na imaginação, constrói-se uma relação de proximidade e interação informal entre emissor e receptor.*

No Brasil, o ensino por rádio foi mais marcante nas décadas de 1960 e 1970, por conta dos vários sistemas radiofônicos de aprendizagem construídos sob o comando de secretarias estaduais de ensino, fundações de caráter técnico-educativo ou da Igreja Católica.

> Foi por meio do Projeto Minerva, com transmissão pela Rádio MEC e com apoio de material impresso, que milhares de pessoas conseguiram realizar seus estudos básicos (Saraiva, 1996).

Dois sistemas foram destaques nas experiências brasileiras de ensino: o Movimento de Educação de Base (MEB), que representou um avanço na concepção de aprendizagem por rádio naquele momento, e o Projeto Minerva, que oferecia ensino supletivo para adolescentes e adultos, orientação profissional e programação cultural de interesse geral (Del Bianco, 2009).

Foi por meio do Projeto Minerva, com transmissão pela Rádio MEC e com apoio de material impresso, que milhares de pessoas conseguiram realizar seus estudos básicos (Saraiva, 1996).

Quer saber mais sobre a Rádio MEC? Acesse: <http://radiomec.com.br>.

1.2.2 A educação a distância (EaD) a partir da década de 1980

Nos Estados Unidos, em 1980, a EaD tinha como base a tecnologia da teleconferência, elaborada para o uso de grupos. De acordo com Moore e Kearsley (2007, p. 39),

> Isso atraiu um número de educadores e formuladores de política por uma aproximação mais adequada da visão tradicional da educação como algo que ocorre nas classes, ao contrário dos modelos por correspondência ou de universidade aberta, que eram direcionados a pessoas que aprendem sozinhas, geralmente pelo estudo em casa.

A EaD utilizou amplamente a radioconferência nos anos de 1970 a 1980, e contava com um sistema que permitia ao aluno dar uma resposta aos instrutores e estes interagirem com o aluno em tempo real e em locais diversos (Moore; Kearsley, 2007).

A lógica industrialista de educação de massa começou a perder terreno, pois, até os anos de 1980, tanto a tendência fordista quanto a tendência por uma proposta mais aberta coexistiam nos moldes de produção capitalista, e, consequentemente, nas experiências de EaD (Guarezi; Matos, 2009).

As mesmas autoras salientam que

> Esse período caracterizou-se pela ruptura das estruturas industriais hierarquizadas e extremamente burocráticas existentes nos modelos anteriores. Entretanto, o que ocorreu no que chamamos de novos tempos foi a coexistência dos três modelos de produção capitalista (fordista, neofordista e pós-fordista). Assim também foi direcionada às práticas na educação, tanto nas concepções quanto na utilização dos diversos modelos. (...). Pode-se observar que a educação é por si muito complexa e resistente a mudanças. Exige-se, portanto, essa clareza nos campos da EaD. (Guarezi; Matos 2009, p. 32)

Como você pode notar, a EaD nesse momento é caracterizada pela utilização das mídias para apoiar a mediação entre conteúdo, aluno e professor, tendo como recursos o rádio, a televisão, o computador e o material impresso (Keegan, 2003).

1.2.3 A educação a distância (EaD) a partir da década de 1990

A partir da década de 1990, temos um período na história da EaD caracterizado pela integração de redes de conferência por computador e estações de trabalho multimídia. A tendência nesse período foi a integração dos diversos meios até então utilizados (Guarezi; Matos, 2009). Tratou-se, então, de um novo modelo de aprendizado com base em relacionamentos virtuais em ambientes informatizados, diagnosticando o fim da distinção entre o que é virtual, o que é presencial e o que é a distância, pois as redes de telecomunicações e de suportes multimídias interativos estão sendo integradas às formas mais clássicas de ensino (Cruz, 2009).

Moore e Kearsley (2007) situam essa fase da EaD com referência ao que descrevem como duas das mais importantes ocorrências: o Projeto Mídia de Instrução Articulada (AIM – *Articulated Instructional Media Project*), da University of Wisconsin, e a Universidade Aberta da Grã-Bretanha, destacando as experiências ocorridas com novas modalidades de organização da tecnologia e de recursos humanos, de modo a promover novas técnicas de instrução e uma nova teorização da educação.

o
Na EaD por correspondência, quase todos os cursos possuíam *kits* didáticos para que o aluno pudesse vivenciar pelo menos uma atividade prática do ofício que estava aprendendo. Tais remessas representavam alto investimento e exigiam adequados controles e cuidados a fim de evitar perdas. Os *kits* eram destinados a alunos em etapas mais avançadas dos cursos, com condições de manuseio seguro de peças e ferramentas e de já ter realizado pagamentos suficientes para a cobertura dessas despesas (Palhares, 2009).

Com a AIM, viu-se a tentativa de articular várias tecnologias de comunicação buscando oferecer um ensino de alta qualidade e baixo custo a alunos não universitários, mediante um complexo ferramental:

- guias de estudo impresso e orientação por correspondência;
- transmissão por rádio e televisão, audioteipes gravados e conferências por telefone;
- *kits*º para experiência em casa e recursos de uma biblioteca local.

Complementavam esses recursos o suporte e a orientação para o aluno, as discussões em grupos de estudo locais e, no período de férias, o uso de laboratórios de universidades (Moore; Kearsley, 2007).

Dados de 1989 do Bureau of Census, dos Estados Unidos, confirmam que 15% de todas as residências norte-americanas possuíam um computador pessoal e que a metade das crianças tinha acesso a ele em casa ou na escola. O *software* educacional se tornou um empreendimento comercial importante com milhares de publicações de programas em diferentes níveis e domínios do conhecimento (Moore; Kearsley, 2007). Com o surgimento da internet e da educação com base na *web*, a descrição é assim registrada:

> *O uso de redes de computadores para a educação a distância teve grande impulso com o surgimento da World Wide Web, um sistema aparentemente mágico que permitia o acesso a um documento por computadores diferentes separados por qualquer distância, utilizando software e sistemas operacionais diferentes e resoluções de tela diferentes.* (Moore; Kearsley, 2007, p. 46)

Há uma estimativa de que a *web* continha, em 1992, 50 páginas e de que, em 2000, esse número chegava a 1 bilhão. Em 1990, as universidades passaram a utilizar programas baseados na *web* e, ao final dessa década, 84,1% das universidades públicas e 83,3% das faculdades públicas americanas ofereciam cursos de quatro anos na *web* (Moore; Kearsley, 2007).

O aumento da comunicação humana com aporte do computador para fins educacionais fez evoluir tecnologias que visam oferecer ambientes educacionais *on-line*, tornando o computador uma ferramenta de uso crescente no ensino superior. São inseridas novas práticas de ensino, que levam à reflexão acerca do papel do professor no processo de ensino-aprendizagem, indicando diferenças na sala de aula presencial e virtual, mudanças nas questões de espaço geográfico e de tempo, em razão do acesso feito pela internet em qualquer lugar do planeta (Teles, 2009).

Trata-se da aprendizagem *e-learning* em cujas salas de aulas *on-line* estão presentes algumas características, tais como:

- comunicação grupo a grupo, de modo que cada participante se comunique de forma direta com os demais colegas nessa sala;
- independência de lugar e tempo, porque é possível acessar a uma sala de aula em qualquer hora do dia e em qualquer localidade com acesso à internet;
- interação via comunicação mediada por computadores, e isso implica organização de ideias e pensamentos por meio da palavra escrita e compartilhamento de tais pensamentos em formato compreensível a todos (Teles, 2009).

Na Europa, surge o *m-learning*, o conceito de "aprendizagem móvel, ou aprendizagem em movimento, ferramenta presente na denominada Era do Conhecimento", uma aprendizagem que avança enquanto se desenvolve essa era (Bulcão, 2009, p. 81).

Na verdade, com respeito ao *m-learning* na Comunidade Europeia, desde o ano de 1999, o conceito abrange a mobilidade na aprendizagem e a designação da aprendizagem com a utilização de telefones celulares, pequenos computadores pessoais (PDAs)[p] e *laptops* em redes sem fio. Serviços que respondem às

[p] Do inglês, *personal digital assistants* – assistentes pessoais digitais.

perguntas feitas por crianças do ensino fundamental por meio do telefone, iniciativas para a aprendizagem colaborativa e ensino de arte em museus europeus fazem parte do *m-learning*, mas evidenciaram a "oportunidade em eliminar a importância do professor como detentor exclusivo do saber no processo de aprendizagem" (Bulcão, 2009, p. 82).

A aprendizagem colaborativa foi tema de estudo de Piva Júnior e Freitas (2009), considerando que o relevante arsenal tecnológico disponível amplia a capacidade individual e coletiva e promove conjuntamente demandas técnicas em demasia, que acabam não sendo utilizadas em razão das dificuldades próprias de seu processo de exercício.

Na aprendizagem colaborativa, a ênfase deve ser conferida tanto à aplicação de técnicas que facilitem o trabalho docente e o domínio cognitivo do aluno quanto ao desenvolvimento de ações e atos inerentes ao ambiente organizacional, com reprodução limitada no ambiente acadêmico (Piva Júnior; Freitas, 2009).

> Segundo Romão (2008), um bom ensino tem em sua essência a criação do conhecimento compartilhado e participação ativa e determinada dos sujeitos envolvidos no processo.

Romão (2008) salienta a importância do professor nesse processo de ensino-aprendizagem e destaca que um bom ensino tem em sua essência a criação do conhecimento compartilhado e participação ativa e determinada dos sujeitos envolvidos no processo. **O trabalho pedagógico deve ser de cumplicidade, convivência e responsabilidades mútuas.** "Inexiste educação sem que a presença dos sujeitos contextualizados, em relação, em reciprocidade, em envolvimento, em troca, em comunicação, se constitua" (Romão, 2008, p. 30), pois a educabilidade tem como meta uma escuta ativa e compartilhada, na qual o trabalho educativo é realizado em um contexto de trocas, comunicação e diálogo.

1.3
O contexto histórico da educação a distância (EaD) no Brasil

Nessa abordagem, vamos apresentar a história da EaD no Brasil em duas linhas que se entrelaçam:

1. uma, com base nos suportes pedagógicos e suas instituições;
2. outra, com relação à legislação que foi construída e regulamentada ao longo da história da EaD no Brasil.

De acordo com Alves, J. R. M. (2009), pode-se dividir a história da EaD no Brasil em três momentos:

1. Inicial: Marcada pelas Escolas Internacionais (1904), seguidas pela Rádio Sociedade do Rio de Janeiro (1923).

2. Intermediário: Em que se destacam o Instituto Monitor (1939) e o Instituto Universal Brasileiro (1941).

3. Moderno: No qual três organizações influenciaram a EaD no Brasil de maneira decisiva: a Associação Brasileira de Teleducação (ABT); o Instituto de Pesquisas em Administração da Educação (Ipae) e, principalmente, a Associação Brasileira de Educação a Distância (Abed).

Alves, J. R. M. (2009), que ampara suas considerações em estudos realizados pelo Instituto de Pesquisa Econômica Aplicada (Ipea), com base em elementos disponíveis na época, afirma que, pouco antes de 1900, já existiam anúncios em jornais de circulação no Rio de Janeiro oferecendo cursos profissionalizantes por correspondência. Tratava-se de cursos de datilografia ministrados por professores particulares, e não por organizações.

Não obstante essas iniciativas isoladas, o autor aponta como marco de referência oficial do início da EaD no Brasil a instalação das escolas internacionais em 1904. Formalmente estruturada, a unidade de ensino era filial de uma organização norte-americana, que oferecia cursos por correspondência voltados para pessoas que buscavam empregos, sobretudo na área de comércio e serviços (Alves, J. R. M., 2009).

Mas, apesar dessas considerações, a maioria dos autores consultados afirma que no Brasil as primeiras manifestações de EaD datam de 1923, com a criação da Rádio Sociedade do Rio de Janeiro por Roquette-Pinto (Barros, 2003; Martins, 2005; Guarezi; Matos, 2009). Coordenada por um grupo da Academia Brasileira de Letras, a rádio transmitia programas de radiotelegrafia e telefonia, literatura, línguas, entre outros (Guarezi; Matos, 2009).

1.3.1 Breve contexto histórico da educação brasileira: elementos para compreender o surgimento da educação a distância (EaD) no Brasil

Alguns fatos relevantes marcam a segunda década do século XX no Brasil. Nessa década, em que aparecem as primeiras manifestações de EaD, ocorreram a fundação do Partido Comunista

(1922), o Revolta dos 18 do Forte (1922), a Semana de Arte Moderna (1922), a Revolta Tenentista (1924) e a Coluna Prestes (1924 a 1927).

No campo educacional, foram realizadas diversas reformas estaduais, como as de Lourenço Filho, no Ceará, em 1923, a de Anísio Teixeira, na Bahia, em 1925, a de Francisco Campos e Mário Casassanta, em Minas, em 1927, a de Fernando de Azevedo, no Distrito Federal (na época Rio de Janeiro), em 1928, e a de Carneiro Leão, em Pernambuco, em 1928.

Paulatinamente, o pensamento escolanovista[q] vai se firmando como proposta pedagógica, produzindo as condições favoráveis ao movimento renovador que desemboca no Manifesto dos Pioneiros da Educação Nova, de 1932.

[q] O escolanovismo vem contrapor-se ao que era considerado "tradicional" e propunha a "centralidade da criança nas relações de aprendizagem, o respeito às normas higiênicas na disciplinarização do corpo do aluno e de seus gestos, a cientificidade da escolarização de saberes e fazeres sociais e a exaltação do ato de observar, de intuir, na construção do conhecimento do aluno" (Vidal, 2003, p. 497).

Saviani (2010) salienta que, no campo educacional, tem-se a presença de duas forças que desempenham um papel relativamente importante na sustentação do "Estado de Compromisso". De um lado, o movimento renovador, estimulado pelo processo de industrialização e modernização; de outro, a Igreja Católica, procurando recuperar terreno. Cada uma à sua maneira concorre para a realização do projeto da burguesia industrial. É guiado por esse projeto que o Brasil adota o modelo de substituição de importações, instalando indústrias de bens não duráveis até o início dos anos de 1950 e de consumo duráveis ao final dessa mesma década.

Com o aniquilamento do poder dos estados, a política econômica, agora nacional, sofreu uma profunda transformação. Essa época se configurou como a Revolução Industrial Brasileira (Bresser-Pereira, 2003).

Bresser-Pereira (2003) também comenta que o desenvolvimento de um país ocorre quando a sociedade entra em crise, e relaciona esse fato ao momento vivido pelo Brasil na década de 1930, ocasião em que os critérios racionais suplantaram os tradicionais e o capital adquiriu maior importância do que a terra.

O mesmo autor elenca uma série de fatores desencadeantes desse desenvolvimento:

> *Quando a competência começa a sobrepor-se ao sangue, quando a lei se impõe aos costumes, quando as relações impessoais e burocráticas começam a substituir o caráter pessoal e patrimonial, quando a sociedade bivalente de senhores e servos, de aristocratas e plebeus, começa a dar lugar a uma sociedade plural, quando o poder político deixa de ser o privilégio de uma oligarquia claramente definida e começa a se tornar cada vez mais difuso, quando a economia de base agrícola tradicional começa a dar lugar a uma economia industrial e moderna, quando a unidade de produção básica não é mais a família, mas a empresa, e depois não é mais a empresa familiar, mas a empresa burocrática, quando os métodos de trabalhos tradicionais cedem lugar aos racionais, quando a produtividade e a eficiência se transformam em objetivos básicos das unidades de produção, quando o desenvolvimento econômico se torna o objetivo das sociedades, quando o reinvestimento se torna uma condição de sobrevivência para as empresas, quando, enfim, o padrão de vida começa a aumentar de forma automática, autônoma e necessária.* (Bresser-Pereira, 2003, p. 33)

Em 1937, a instauração do Estado Novo no governo por Getúlio Vargas trouxe consigo o programa econômico na Carta de São Lourenço, que estabelecia os pontos principais de uma política econômica do regime recém-implantado:

- criação da indústria de base, especificamente a da grande siderúrgica;
- nacionalização das jazidas, das quedas d'água e demais fontes de energia;
- nacionalização dos bancos estrangeiros e das companhias de seguros;
- elaboração de um plano geral para o setor de transportes;
- implantação do salário-mínimo;
- expansão da produção de carvão nacional;
- diversificação das exportações e elaboração do plano de desenvolvimento da região do rio São Francisco (Corsi, 2002).

Para Greco (2003), entre os anos de 1930 e 1945, o Governo GetúlioVargas utilizou-se de estratégias políticas visando elevar o Brasil à categoria de país industrializado, com esforços centralizados na preocupação de promover uma estrutura para o ensino e condições de dar suporte ao processo de industrialização que havia se iniciado.

Por conta da industrialização do país, surgiu a necessidade de formação profissional dos operários, com implicação direta nos setores governamentais quanto a propiciar o incentivo à valorização desse tipo de ensino. Foram relevantes, também, as consequências da Segunda Guerra Mundial, que exigiram a redefinição de uma política de aperfeiçoamento técnico, pois os países europeus dificultaram a importação de produtos industrializados e de mão de obra técnica qualificada (Greco, 2003).

Na opinião de Bresser-Pereira (2003), o governo saiu da Revolução de 1930 com uma atitude positiva em relação à industrialização:

Não estamos fazendo a apologia do governo Getúlio Vargas em sua primeira fase, que foi inclusive manchada com uma ditadura declarada, entre 1937 e 1945. É indiscutível, todavia, que a Revolução de 1930 marca uma nova era na história do Brasil, tendo estabelecido as condições políticas necessárias para a Revolução Industrial Brasileira. (Bresser-Pereira, 2003, p. 43)

Consoante à educação no Brasil, ainda no decorrer dos anos de 1920, o cenário que se apresentou foi de "uma sequência de mutações na esfera econômica, política, cultural e educacional" (Araújo, 2004, p. 131). Foi a década que revelou no meio intelectual o surgimento de manifestações em defesa da vida e também em prol da modernização da nação.

A percepção de Araújo (2004) é de que a sociedade brasileira acobertava a modernidade em meio à vida agrária e à industrialização recém-desenvolvida, criando uma ambiência entre sociedade, nação e Estado, que receberam dos setores intelectuais especializados diferentes manifestações culturais que buscaram gestar um ideário do Brasil moderno.

Com a ascensão de Getúlio Vargas ao poder, é criado o "Ministério dos Negócios da Educação e Saúde Pública" (Decreto nº 19.402, de 14 de novembro de 1930 – Brasil, 1930), responsável pelas atividades pertinentes a vários ministérios, como saúde, esporte, educação e meio ambiente, anteriormente tratadas pelo Departamento Nacional do Ensino, ligado ao Ministério da Justiça. Com a criação do Ministério da Educação e Saúde Pública, foi facilitada a estruturação de um Serviço Nacional de Educação, com o propósito de produzir estatísticas educacionais e, para tanto, necessitava de dados que possibilitassem conhecer a situação educacional daquele momento (Gil, 2007).

Em 1932, o Governo Vargas dirigiu mensagem aos chefes regionais no sentido de assentar um plano orgânico e amplo de medidas governamentais, que exigiam conhecer minuciosamente o alcance da obra educacional, suas falhas, possibilidades e a extensão do esforço necessário em razão das diferenças geográficas e sociais (Gil, 2007).

Dados publicados no livro *Estatística da instrução* indicaram 74,6% de analfabetos no início do século XX; em 1936, **Teixeira de Freitas**[r] atribuía o analfabetismo não a um problema de falta de escolas, mas à má qualidade do ensino administrado, uma crítica ao momento educacional que vigorava e à constatação da existência de um caminho educacional elitista, concentrado em poucas e boas escolas (Pavam; Vidal, 2007).

[r] Foi o primeiro secretário-geral do Instituto Brasileiro de Geografia e Estatística (IBGE), entre 1936 e 1948.

Ainda que a descrição estatística seja considerada apenas um olhar, dentre todos os possíveis lançados por uma sociedade sobre si mesma, segundo Gil (2007), é importante refletir sobre a forma como tais dados constroem os fatos e criam os modos de ver. Assim, considera-se importante apresentar dados analisados por Teixeira de Freitas, de 1932, sobre alunos matriculados nas escolas brasileiras:

> Houve 1.397.638 matriculados no 1º ano primário, e apenas 1.005.749 promovidos [...]. De cada mil crianças da população em idade escolar em 1932, 808 matricularam-se no primeiro ano e 183 começavam seus estudos no lar, fora da escola. No final de 1932, 116 de cada mil alunos interromperam seus estudos no correr do ano, apenas 531 foram frequentes e somente 158 aprovados. Eram 27.839 unidades escolares do primário em 1932. (Pavam; Vidal, 2007, p. 35)

Esse panorama apresenta as dificuldades da época, como a evasão escolar, a repetência e o ensino elitista. Segundo Teixeira (1968, p. 29), esses resultados eram considerados normais porque se acreditava que a população brasileira e seus segmentos tinham, de modo geral, um "baixo nível mental".

Na administração do Governo Getúlio Vargas, destaca-se no campo educacional uma produção resultante do conjunto de ideias novas trazidas a lume por educadores, citados historicamente como grandes líderes da educação: Anísio Teixeira, Lourenço Filho e Fernando de Azevedo, de um total de 26 educadores que lançaram o Manifesto dos Pioneiros da Educação Nova (Azevedo, 1958).

Segundo Azevedo (1958, p. 55-56), muitas das ideias do manifesto se mantiveram, passaram à linguagem corrente e à categoria de aspirações comuns, defendidas e vistas como uma "revolução na história das ideias pedagógicas no Brasil", e uma transição de uma civilização para outra.

E se, com relação à corrente escolanovista, os educadores Fernando Azevedo, Lourenço Filho e Anísio Teixeira pregavam a educação laica, obrigatória, gratuita, única e nacional, sua execução requeria o aval do Estado sem concessões de ordem alguma; contudo, "o Estado, ele próprio, ainda padecia de precariedade" (Pavam; Vidal, 2007, p. 36). Além do que o segmento de educadores católicos impôs forte resistência a essas ideias.

Mas, se o Estado configurava-se como elemento essencial à efetivação do projeto, o manifesto atribuiu a capacidade de viabilizar, por meio da ação de grupos competentes tecnicamente, a transformação da educação em função social e eminentemente pública (Xavier, 2004).

A ideia da educação como direito biológico permeado por princípios de integração social, de fundamentação liberal, com a finalidade de uma educação integral e escola para todos, comum e igual, com ressalvas às diferenças e aptidões psicológicas e físicas, era no mínimo contraditória, pois ao mesmo tempo em que defendia a educação para todos, impunha os limites físicos, biológicos e psicológicos (Veiga, 2004).

Com referência à institucionalização do governo, os efeitos moralizantes e higiênicos sobre a população, desejados pelos defensores da Escola Nova, fizeram com que o governo dedicasse significativa importância ao projeto educacional e difundisse a educação por meio do rádio, cuja eficácia "ultrapassou os limites das escolas para atingir toda a população, tornando-se uma estratégia viável e fundamental para consolidar as reformas educacionais pretendidas pelo Estado" (Greco, 2003, p. 5).

Entre as políticas que se seguiram, são citadas por Pavam e Vidal (2007, p. 35) a Reforma do Ensino Secundário, em 1942; a Reforma Universitária, estabelecendo um padrão nacional de organização do ensino superior; a Nacionalização do Ensino e a criação do Sistema de Ensino Profissional, que consistiu no complexo de serviços de treinamento para atividades econômicas institucionalizado no Serviço Nacional de Aprendizagem Industrial (Senai), Serviço Social da Indústria (Sesi), Serviço Nacional da Aprendizagem do Comércio (Senac) e Serviço Social do Comércio (Sesc), o denominado *Sistema S*, que atualmente acresceu o Serviço Brasileiro de Apoio às Micro e Pequenas Empresas (Sebrae), e que ganhou amplitude na época. Entretanto, ficaram pendentes para a reabertura política de 1946 a legislação sobre o ensino primário e o ensino normal, ou seja, foi deixada para depois a formação de alunos iniciantes e professores.

Ainda na década de 1940, a educação de adultos se firmou como uma questão de política nacional; apesar de as condições para sua execução terem sido instaladas no período anterior, conforme o Plano Nacional de Educação (PNE), de responsabilidade da União, constante na Constituição de 1934, que incluía em suas normas o ensino primário integral gratuito e de frequência obrigatória, extensivo aos adultos: "Pela primeira vez a educação de jovens e adultos era reconhecida e recebia um tratamento particular" (Haddad; Di Pierro, 2000).

Cabe ressaltar a criação do ensino industrial, secundário, comercial, primário, normal e agrícola, entre os anos de 1942 e 1946. O ensino superior, no entanto, não recebeu reformas durante esse período, embora tenham sido criados o Instituto Nacional de Estudos e Pesquisas Educacionais Anísio Teixeira (Inep) e o Instituto do Patrimônio Histórico e Artístico Nacional (Iphan), órgãos do Ministério da Educação (MEC) como apoio suplementar às reformas (Greco, 2003).

Em 1937, foi criado o serviço de Radiodifusão Educativa do Ministério da Educação. Essa iniciativa estatal tinha o objetivo de difundir a concepção de educação defendida pelo Estado. Havia a preocupação em garantir a ordem moral e cívica, a obediência de todos. Para tanto, era necessário formar cidadãos sintonizados com os princípios do Estado e preparados para o aperfeiçoamento da máquina administrativa e burocrática (Barros, 2003).

1.3.2 O surgimento da educação a distância (EaD) no Brasil

Pode-se falar, como vimos, de uma **primeira fase** inicial da EaD no Brasil, marcada pelas **escolas internacionais**.

A **segunda fase**, chamada de *fase intermediária*, é marcada pela **tecnologia**. "Considera-se como marco principal a criação da Rádio Sociedade do Rio de Janeiro, por Roquette-Pinto, entre 1922 e 1925, e de um plano sistemático de utilização educacional da radiodifusão como forma de ampliar o acesso à educação" (Saraiva, 1996, p. 19).

A fundação da Rádio Sociedade do Rio de Janeiro, em 1923, foi uma iniciativa que teve pleno êxito. Tinha como função principal possibilitar a educação popular pelo então moderno sistema de radiodifusão em curso no Brasil e no mundo. Mas suas atividades despertaram preocupação por parte dos governantes, já que podiam ser transmitidos programas considerados subversivos. Primeiramente, a rádio funcionou em uma escola superior mantida pelo Poder Público. Depois, foram colocadas exigências de difícil cumprimento, já que a rádio não tinha fins comerciais. Sem saída, os instituidores tiveram de doar a emissora para o Ministério da Educação e da Saúde em 1936.[8]

[8] Até 1930, inexistia no Brasil um órgão específico para tratar dos assuntos de educação; os assuntos eram tratados por órgãos que tinham outras funções principais e que cuidavam, também, da instrução pública.

No Brasil, essa segunda fase consagra-se na metade do século XX com a criação dos Institutos:

- Rádio Técnico Monitor, em 1939;
- Universal Brasileiro, em 1941;
- Padre Reus, em 1974;
- Outras organizações similares com várias experiências de educação a distância levadas a termo com relativo sucesso.

Segundo registro da Folha Dirigida (2009), "nesta época, estão na vanguarda da EaD no país, o Instituto Universal Brasileiro, criado em 1941, e a Universidade do Ar (Unar), criada em 1946". Nessa mesma década, foi fundado o Senac, que iniciou suas atividades em 1946 desenvolvendo no Rio de Janeiro e em São Paulo a Unar, que já atingia 318 localidades em 1950.

A Unar foi uma instituição criada pelo Senac, e sua implantação ampliou as fronteiras da modalidade ao inovar na metodologia adotada para a prática da EaD: o rádio. Essa tecnologia favoreceu o acesso aos cursos a uma parcela muito maior da população, tendo em vista a abrangência que o rádio alcança, inclusive a uma população que, por vezes, nem sabia ler, e a informação conseguia chegar a regiões muito distantes (Folha Dirigida, 2009).

Na atuação da Unar, eram fornecidas as aulas temáticas sobre assuntos de interesse público, com o estabelecimento de uma rede de emissoras, entre elas a Rádio Tupi, e a Rádio Difusora de Ondas Curtas, de São Paulo, para a realização dos cursos. Com transmissão ao vivo, a presença dos professores na rádio sede buscava orientar os alunos ouvintes para a execução das lições.

> A Unar foi uma instituição criada pelo Senac, e sua implantação ampliou as fronteiras da modalidade ao inovar na metodologia adotada para a prática da EaD: o rádio.

Em 1956, na Diocese de Natal, Rio Grande do Norte, surgiu um dos movimentos de maior destaque em EaD no Brasil: o Movimento de Educação de Base (MEB). Era uma iniciativa da Conferência Nacional dos Bispos do Brasil (CNBB) e tinha como ação básica a alfabetização de jovens e adultos das classes mais baixas da população. Em 1964, o Golpe Militar extinguiu o programa (Preti, 2002; Martins, 2005).

Mas, apesar de ter suas raízes na década de 1920 e contar com algumas outras iniciativas esparsas desde então, é a partir da década de 1960 que a EaD se desenvolveu de maneira acentuada no Brasil. Outros projetos vinculados ao Governo Federal, como o Movimento Brasileiro de Alfabetização (Mobral), tinham abrangência nacional e prestaram enorme auxílio por meio do uso do rádio.

A partir da década de 1960, temos os primeiros registros do uso da televisão em programas de EaD no Brasil. Coube ao Código Brasileiro de Telecomunicações, criado em 1967, ditar que deveria haver transmissão de programas educativos pelas emissoras de rádio e televisões educativas (Alves, J. R. M., 2009). Em 1965, é constituída uma Comissão para Estudos e Planejamento da Radiodifusão Educativa, que conduziu à criação do Programa Nacional de Teleducação (Prontel), em 1972, que ficou responsável por coordenar e apoiar a teleducação no Brasil. Depois, esse órgão foi substituído pela Secretaria de Aplicação Tecnológica (Seat), que acabou sendo extinta. Também nesse ano é criada a Fundação Centro Brasileiro de TV Educativa, que em 1981 passou a se chamar Fundo de Financiamento da Televisão Educativa (Funtevê).

Em 1964, foi criada uma rede de TVs educativas. Três anos depois, em 1967, o governo do Estado de São Paulo criou a Fundação Padre Anchieta (TV Cultura), objetivando divulgar atividades educativas e culturais por meio do rádio e da televisão. No Ceará, a TV Educativa teve início em 1969 e desenvolveu um programa para atender alunos de 5ª e 6ª séries para regiões onde essas séries não existiam (Preti, 2002).

Com o objetivo de promover cursos supletivos de 1º e 2º graus veiculados pelo rádio em cadeia nacional, em 1970 foi criado o Projeto Minerva. Esse projeto foi uma iniciativa do então governo militar para resolver a curto prazo os problemas de desenvolvimento político, social e econômico do país (Guarezi; Matos, 2009).

Os alunos adultos estudavam utilizando fascículos impressos que continham textos trabalhados nos programas radiofônicos. A programação podia ser acompanhada em radiopostos instalados em locais estratégicos (na zona urbana e rural) ou mesmo em casa (Barros, 2003). Nesse período, desenvolve-se também o projeto Sistema Avançado de Comunicações Interdisciplinares (Saci), que, apesar de ter sido logo abandonado, constitui-se na primeira experiência a utilizar tecnologia de televisão via satélite para fins educacionais no Brasil (Guarezi; Matos, 2009).

Em 1977, o MEC criou um grupo de trabalho para estudar a implantação de uma universidade aberta e a distância aos moldes da Open University do Reino Unido. No entanto, o projeto não foi bem visto pela comunidade acadêmica, que julgou ter com isso se armado um imenso esquema facilitador. Na década de 1970, desenvolveram-se também os projetos João da Silva e o Conquista para o ensino de primeiro grau, considerados pioneiros no Brasil e no mundo pelo seu formato de telenovela (Bonevarde 1987, citado por Preti, 2002).

No campo da formação de professores merece destaque o Programa Logos, que de 1977 a 1991 atendeu cerca de 50 mil professores, qualificando aproximadamente 35 mil deles em 17 estados do Brasil. Na década de 1990, o Projeto Logos foi desativado e substituído pelo Programa de Valorização do Magistério. É dessa época também o Programa de Pós-Graduação Tutorial a Distância (Posgrad), que, implantado em caráter experimental entre 1979 e 1983 pela Coordenação de Aperfeiçoamento de Pessoal de Nível Superior (Capes), apresentou resultados positivos. No entanto, o MEC, mesmo sem apresentar razões plausíveis, não deu continuidade ao programa (Preti, 2002; Alves, G. M., 2009).

Em 1978, a Fundação Roberto Marinho (TV Globo) criou o Telecurso 2º grau, hoje denominado *Telecurso 2000*.

Na Universidade de Brasília (Unb), o Centro de Educação Aberta e a Distância (Cead) vem oferecendo, desde 1979, cursos de educação continuada a distância.

Em 1990, o MEC e a Fundação Roquette-Pinto (TVE-RJ) promoveram o programa "Um Salto para o Futuro", com a finalidade de qualificar professores do ensino fundamental em serviço no Brasil, utilizando os recursos da televisão via satélite, com inserções ao vivo em horários e dias predeterminados e a disponibilização de material impresso. O aperfeiçoamento desse programa pelo MEC, em 1995, conduziu à criação do Projeto TV Escola, com o objetivo de promover o aperfeiçoamento e a valorização dos professores da rede pública.

O Sistema Nacional de Radiofusão se fortaleceu posteriormente com a criação do Funtevê, em 1981, que passou a colocar programas educativos no ar em parceria com diversas rádios educativas e vários canais de TV. Instituições privadas também começaram a desenvolver seus próprios projetos em paralelo com as iniciativas do Governo Federal e governos estaduais (Guarezi; Matos, 2009).

No final da década de 1990, as emissoras ficaram isentas da obrigação de transmitir programas educativos, o que significou um retrocesso enorme na EaD e na educação de maneira geral (Alves, J. R. M., 2009). Com a reformulação do sistema nacional de radiodifusão em 1994, a TVE-RJ ficou responsável por coordenar essas ações. Infelizmente, o tempo passou e resultados concretos não apareceram, apesar de várias ações terem sido propostas e levadas a cabo. Podem-se citar, por exemplo, iniciativas como a da Fundação Roberto Marinho, com os telecursos, e a própria TV Educativa, com seus programas. No entanto, a forma de difusão depende das emissoras abertas ou a cabo para o acesso pela população em geral (Alves, 2009, citado por Faria; Salvadori, 2010, p. 21).

Outro grande suporte pedagógico no campo educacional foi o advento dos computadores, que chegaram ao Brasil em 1970 por meio das universidades, mas eram equipamentos enormes. Com o decorrer do tempo, ficaram mais acessíveis, tanto no aspecto prático como no econômico.

No Brasil, não há dúvida de que a internet já disponível nos computadores pessoais colaborou e colabora imensamente para a propagação da EaD. Há muitos aspectos a serem superados, no que se refere à infraestrutura e preparo para utilização dos ambientes virtuais de aprendizagem.

A fase moderna da história da EaD no Brasil, segundo Alves, J. R. M., (2009), é marcada pelo surgimento de grandes organizações educacionais que influenciaram a EaD de maneira decisiva, como a Associação Brasileira de Tecnologia Educacional (ABT), fundada em 14 de julho de 1971, com a missão de "impulsionar o desenvolvimento da Tecnologia Educacional" (ABT, 2012).

Dentre essas organizações, pode-se dar maior destaque à Associação Brasileira de Educação a Distância (Abed), criada especialmente para dar suporte à EaD no Brasil. A Abed é uma sociedade científica, sem fins lucrativos, voltada para o desenvolvimento da educação aberta, flexível e a distância, criada em 21 de junho de 1995 por um grupo de educadores interessados em educação a distância e em novas tecnologias de aprendizagem. Tem como missão "Contribuir para o desenvolvimento do conceito, métodos e técnicas que promovam a educação aberta flexível e a distância, visando o [sic] acesso de todos os brasileiros à educação" (Abed, 2010).

Os objetivos principais da Abed são:

- estimular a prática e o desenvolvimento de projetos em EaD em todas as suas formas;
- incentivar a prática da mais alta qualidade de serviços para alunos, professores, instituições e empresas que utilizam a educação a distância;
- apoiar a "indústria do conhecimento" do país procurando reduzir as desigualdades causadas pelo isolamento e pela distância dos grandes centros urbanos;
- promover o aproveitamento de "mídias" diferentes na realização de educação a distância;
- fomentar o espírito de abertura, de criatividade, de inovação, de credibilidade e de experimentação na prática da educação a distância.

O escopo principal da Abed inclui instituições, empresas, universidades e pessoas interessadas em discutir e aprofundar conhecimentos em educação a distância. Com essa finalidade, a Abed organiza congressos, seminários, reuniões científicas e cursos voltados para a sistematização e difusão do saber em EaD.

A página da Abed na internet traz a *Revista Brasileira de Aprendizagem Aberta e a Distância* (Abed, 2010), uma revista trilíngue, dedicada a estudiosos, textos e trabalhos, calendários de eventos, *clipping* de notícias dos principais jornais e *links* relacionados a EaD

> Quer saber mais sobre a *Revista Brasileira de Aprendizagem Aberta e a Distância*? Acesse: <http://www.abed.org.br/revistacientifica/_brazilian/default.htm>.

e endereços de cursos a distância. Está em constante atualização, tendo sempre como foco os associados e as pessoas que pretendem se envolver com essa área do saber pedagógico.

Segundo Alves, J. R. M., (2009), a trajetória da EaD no Brasil é marcada por sucessos e estagnações, provocados principalmente pela ausência de políticas públicas para o setor. A partir de 1995, a Universidade Federal do Mato Grosso (UFMT), por meio do Núcleo de Educação Aberta e a Distância (Nead), tornou-se referência em educação superior a distância com a oferta de dois programas: o Curso de Licenciatura Plena em Educação Básica – 1ª a 4ª série do ensino fundamental – para professores da rede pública sem qualificação de ensino superior e o Curso de Formação de Orientadores Acadêmicos em EaD. No final de 1992, formaram-se 210 professores em Licenciatura Plena em Educação Básica. Esse curso é um marco, pois foi o primeiro curso de graduação a distância (formação inicial de professores) ofertado no Brasil (Preti, 2002; Martins, 2005).

> Segundo Alves, J. R. M., (2009), a trajetória da EaD no Brasil é marcada por sucessos e estagnações, provocados principalmente pela ausência de políticas públicas para o setor.

No Brasil, algumas universidades presenciais oferecem disciplinas a distância, concomitantemente à oferta de cursos presenciais e à incorporação de ferramentas da internet, incluindo o correio eletrônico para comunicação extraclasse, páginas *web* que disponibilizam conteúdos e ambientes virtuais de aprendizagem, condição que expande a sala de aula para além de seus limites. "Há quem afirme que a EaD, longe de ser um apêndice do ensino tradicional, passar a ser, senão a regra, o agente impulsionador de mudanças" (Cruz, 2009, p. 87).

Tais considerações já foram ditas por Belloni (2008), prevendo a EaD como uma tendência a se tornar mais fortemente um elemento regular dos sistemas educacionais, essencial ao atendimento das demandas e a grupos educativos. Assim, essencial também na valorização de funções que assumem grande importância com mais ênfase no ensino pós-secundário, inserindo a população adulta e, por isso, o ensino superior regular e uma demanda de formação contínua que não se abstrai da acelerada tecnologia e do conhecimento. Como já é possível notar, esse é um momento-chave na história da EaD brasileira.

A partir da década de 1990, a EaD entrou em um processo de afirmação em nosso país, passando da periferia para o centro das políticas educacionais. Desde 1996, quando foi aprovada LDBEN[t], a EaD ganhou *status* de modalidade plenamente integrada ao sistema de ensino brasileiro, podendo ser utilizada em todos os níveis de educação.

---

[t] Para o Governo Fernando Henrique Cardoso, ou FHC, não seria possível apenas emendar o projeto da LDBEN aprovado na Câmara Federal ou o substitutivo Cid Saboia; era preciso uma proposta elaborada com base no projeto liberal-conservador. Assim, o projeto Darcy Ribeiro, de 1992, ressurgiu nesse momento atendendo às necessidades do governo.

Síntese

Neste primeiro capítulo, apresentamos o processo histórico da EaD no mundo e particularmente no Brasil. Destacamos a história da EaD e sua relação com o desenvolvimento social e salientamos a importância da compreensão do que sejam ambas, história e EaD, já que a própria compreensão do que é história e do que é educação a distância são também constructos históricos.

Procuramos enfatizar a importância de compreender a EaD em uma perspectiva histórica, na qual o surgimento e as fases pelas quais passam a sua trajetória até o seu momento atual estão ligados a mudanças ocorridas nos sistemas produtivos.

O avanço das tecnologias de informação e comunicação permitiu uma melhoria qualitativa e quantitativa do conteúdo e do conhecimento das aulas e no número de oferta de cursos e instituições. A ênfase na necessidade de formação permanente, que também colabora para a expansão da EaD, surge em um contexto de reestruturação produtiva em que ganham destaque as políticas neoliberais.

No contexto brasileiro, a trajetória histórica da EaD é marcada por avanços e retrocessos decorrentes sobretudo da ausência de políticas públicas direcionadas. No entanto, a partir da década de 1990, a EaD entrou em um processo de afirmação em nosso país, passando da periferia para o centro das políticas educacionais.

Indicações culturais

Livro

LITTO, F. M.; FORMIGA, M. M. (Org.). Educação a distância: o estado da arte. São Paulo: Pearson Education, 2009. v. 2.

Essa obra conta com a contribuição de diversos autores e é uma excelente indicação para pesquisa e aprofundamento sobre a educação a distância. O livro traz abordagens que contemplam tanto a trajetória histórica da EaD como seus aspectos pedagógicos e de gestão.

Vídeos

O QUE é a EaD – Jose Moran. Disponível em: <http://www.youtube.com/watch?v=MdPqYTWrkKc>. Acesso em: 12 set. 2012.

ALGUNS conceitos sobre EaD. Disponível em: <http://www.youtube.com/watch?v=GoTM1NU405M>. Acesso em: 12 set. 2012.

Esses vídeos trazem uma explicação clara e sistemática do que é a EaD e explicitam seus conceitos. Ambos apresentam a educação a distância numa retrospectiva histórica, descrevendo e discutindo conceitos e elementos que a constituem enquanto modalidade educacional.

Atividades de autoavaliação

1. Para Moore e Kearsley (2007), a educação a distância (EaD) evoluiu ao longo da história, podendo ser caracterizada por cinco diferentes gerações. Enumere as gerações da EaD com suas respectivas características:

   I. Primeira geração da EaD.
   II. Segunda geração da EaD.
   III. Terceira geração da EaD.
   IV. Quarta geração da EaD.
   V. Quinta geração da EaD.

   ( ) Essa geração foi caracterizada principalmente pela invenção das universidades abertas.

   ( ) É a geração que envolve o ensino e o aprendizado *on-line*, em classes e universidades virtuais, baseadas em tecnologias da internet.

   ( ) É marcada pela interação a distância em tempo real, em cursos de áudio e videoconferência.

   ( ) É marcada pelo meio de comunicação textual, por meio da correspondência.

   ( ) É marcada pelo ensino por meio do rádio e televisão.

2. Palhares (2009) entende a criação da educação a distância (EaD) como ondas, aludindo a fases não estanques e que não configuram separação clara entre elas, ou seja, sem determinação de onde termina uma onda/fase e se inicia outra. Tendo como base essa percepção, assinale a alternativa que corresponde à onda/fase mais longa da história da EaD:

a) Onda/fase do ensino por rádio.
b) Onda/fase do ensino por televisão.
c) Onda/fase do ensino por correspondência.
d) Onda/fase do ensino *on-line*.

3. Em relação ao crescimento da educação a distância (EaD), é **incorreto** afirmar que:

    a) apesar do preconceito ainda existente em relação à EaD, percebe-se a importância dessa modalidade para o nosso país.
    b) a modalidade de EaD cresce impulsionada pelas dificuldades em atender às pessoas sem formação adequada.
    c) a EaD pode garantir a mesma qualidade de ensino da presencial ou até mais.
    d) no momento atual, não se percebe investimentos em cursos a distância.

4. Com relação às características *e-learning* (salas de aulas *on-line*) apresentadas por Teles (2009), assinale com verdadeiro (V) ou falso (F) as seguintes proposições:

    ( ) Comunicação grupo a grupo, de modo que cada participante se comunique de forma direta com os demais colegas nessa sala.

    ( ) Independência de lugar e tempo, porque é possível acessar a sala de aula em qualquer hora do dia e em qualquer localidade com acesso à internet.

    ( ) Interação via comunicação mediada por computadores, que implica a organização de ideias e pensamentos por meio da palavra escrita e compartilhamento de tais pensamentos em formato compreensível a todos.

( ) Comunicação múltipla, que permite enriquecer os recursos de aprendizagem e eliminar a dependência do ensino face a face.

Indique a sequência correta:

a) V, V, V, V.
b) V, F, V, F.
c) F, F, V, V.
d) F, F, F, V.

5. Considerando as experiências em educação a distância (EaD) no Brasil, relacione as iniciativas relacionadas à EaD listadas a seguir com suas respectivas características:

a) Rádio Sociedade do Rio de Janeiro.
b) Universidade do Ar (Unar).
c) Projeto Minerva.
d) Sistema Avançado de Comunicações Interdisciplinares (Saci).

( ) Tinha por objetivo promover cursos supletivos de 1º e 2º graus veiculados pelo rádio em cadeia nacional em 1970. Esse projeto foi uma iniciativa do governo militar para resolver a curto prazo os problemas de desenvolvimento político, social e econômico do país.

( ) Foi uma instituição criada pelo Senac, e sua implantação ampliou as fronteiras da modalidade ao inovar na metodologia adotada para a prática da EaD: o rádio.

( ) Constitui-se na primeira experiência a utilizar tecnologia de televisão via satélite para fins educacionais no Brasil.

( ) Tinha como objetivo a transmissão de programas de radiotelegrafia e telefonia, literatura, línguas, entre outros.

Atividades de aprendizagem

Questões para reflexão

1. Nos anos de 1970, começa um novo período na história da EaD no mundo, caracterizada pelo uso de dois meios de comunicação de massa. Quais são eles e como contribuíram para o desenvolvimento da EaD?

2. De acordo com Alves, J. R. M. (2009), como podemos dividir a história da EaD no Brasil?

3. Como era caracterizada a EaD a partir da década de 1990?

Atividade aplicada: prática

1. Realize uma pesquisa em livros, revistas antigas, jornais e internet sobre os primeiros cursos por correspondência oferecidos no Brasil. Procure conhecer o tipo de público para o qual eram direcionados, como eram divulgados, organizados e realizados. Depois prepare uma apresentação e socialize os resultados de sua pesquisa com seus colegas de turma.

2.

Educação a distância (EaD): em busca de fundamentos

Iniciando o diálogo

Este capítulo tem como escopo fazer um delineamento dos fundamentos, características e componentes da educação a distância (EaD). Apoiados nas contribuições de diversos autores e em documentos oficiais relacionados a essa modalidade de ensino no Brasil, procuramos expor os elementos constituintes e caracterizadores da EaD, na busca pela compreensão do seu *que* e do seu *quem*.

Vale lembrar que consideramos a EaD sempre em um horizonte maior, que é a realidade da educação, para evitar o risco de reduzi-la a técnicas de ensino e esvaziá--la de sentido. Realizamos também uma reflexão sobre a formação de professores, uma vez que a EaD é muito utilizada tanto na formação inicial quanto na formação continuada.

2.1
Características e componentes da educação a distância (EaD)

Como já afirmamos, a partir da aprovação da Lei nº 9.394, de 20 de dezembro de 1996 – a Lei de Diretrizes e Bases da Educação Nacional (LDBEN – Brasil, 1996)[a], a EaD ganhou *status* de modalidade plenamente integrada ao sistema de ensino brasileiro. O conteúdo presente nessa legislação demonstra que existe um esforço para colocar em evidência a relevância social dessa modalidade educacional.

[a] De acordo com o que estabelece o art. 80 dessa legislação, "O Poder Público incentivará o desenvolvimento e a veiculação de programas de ensino a distância, em todos os níveis e modalidades de ensino, e de educação continuada" (Brasil, 1996).

É preciso considerar que a EaD no Brasil organiza-se segundo metodologia, gestão e avaliação peculiares que estabelecem a necessidade de momentos presenciais para a realização de algumas atividades (avaliações, por exemplo), conforme previsto no Decreto nº 5.622, de 19 de dezembro de 2005 (Brasil, 2005). A qualidade constitui-se como uma preocupação diante do crescimento dessa modalidade educacional no país.

Assim, o Ministério da Educação (MEC), nos Referenciais de Qualidade para Educação Superior a Distância (Brasil, 2007), apresenta oito itens básicos que são considerados fundamentais para definir a qualidade da EaD oferecida por uma instituição:

> *(1) Concepção de educação e currículo no processo de ensino e aprendizagem; (2) Sistemas de Comunicação; (3) Material didático; (4) Avaliação; (5) Equipe multidisciplinar; (6) Infraestrutura de apoio; (7) Gestão Acadêmico-Administrativa; (8) Sustentabilidade financeira.* (Brasil, 2007, p. 7)

Apesar de esse documento citado não ter força de lei, ele é um referencial para as instituições que desejam oferecer cursos na modalidade a distância. Merece destaque nesse documento a ênfase dada aos aspectos pedagógicos, à infraestrutura e aos recursos humanos.

Ainda nos Referenciais de Qualidade para Educação Superior a Distância (Brasil, 2007), podemos destacar principalmente a relevância de três pressupostos básicos para a qualidade de um curso ofertado na modalidade a distância:

1º a ideia pluralista de que não há um modelo único para EaD;
2º a concepção de conhecimento não como mera transmissão, mas como construção;
3º a necessidade de qualificação permanente dos profissionais envolvidos.

Esses três pontos nos oferecem elementos para buscar uma compreensão dos fundamentos, características e componentes da EaD. Nesse sentido, já enfatizamos a importância de se analisar essa modalidade educacional dentro do contexto maior que é a realidade da educação, justamente para não descaracterizá-la, ou seja, esvaziá-la do que lhe é fundamental: o fato de ser uma prática social e histórica e, como tal, marcada por essas determinações.

Também o Instituto Nacional de Estudos e Pesquisas Educacionais Anísio Teixeira (Inep) possui seu instrumento para a avaliação de cursos em EaD aprovados pelo MEC em 2007. Nesse documento, três categorias de avaliação são apresentadas:

1. organização institucional para EaD;
2. corpo social;
3. instalações físicas.

É importante salientar que cada uma dessas categorias citadas possui um peso e se desdobram em indicadores que possibilitam a avaliação dos cursos oferecidos (Dias; Leite, 2010). Entretanto, mesmo contando com as determinações da legislação com referenciais e instrumentos avaliativos para EaD, é necessário buscar os fundamentos dessa modalidade educacional.

Para Peters (2009), há uma diferença estrutural entre educação universitária convencional e a EaD. Segundo o autor, mesmo que se considere essa diferença óbvia, não é de forma alguma trivial lidar com ela:

> *Acredito que o exame e a análise dessa diferença são fundamentais para a verdadeira compreensão desta forma de ensinar e aprender. Há muitos membros do corpo docente que acreditam e estão mesmo convencidos de que a única diferença é apenas a "distância" e a importância da mídia técnica necessária para transpor o abismo entre quem ensina e aprende. Na opinião deles o resto do processo de ensino--aprendizagem permanece idêntico. No entanto, esta opinião está errada, pois mostra uma abordagem equivocada à educação a distância e revela uma atitude pedagógica inadequada.* (Peters, 2009, p. 69)

Como se pode notar, Peters (2009) chama atenção para compreensões erradas da EaD, que provocam consequências práticas muito sérias no campo pedagógico. Compreensões inadequadas também conduzem a preconceitos que muitas vezes levam a descartar a EaD e todas as suas possiblidades para promoção da democratização do acesso à educação.

Também Belloni (2008), ao se referir a definições de EaD, comenta que, em sua maioria, tais definições tendem a retratar a educação a distância por aquilo que ela não é, ou seja, com base na perspectiva do ensino convencional da sala de aula.

Desse modo, é importante destacar aqui a importância da pesquisa e da investigação crítica dos fundamentos da EaD para melhor compreendê-la, reconhecendo seus limites e suas possibilidades.

Ainda segundo Peters (2009), cuja maneira proposta para compreensão da EaD provocou muitas polêmicas, os modos de organização dos sistemas de EaD, bem como sua estrutura didática, podem ser melhor compreendidos tomando-se por pressuposto princípios que regem a produção industrial, especialmente os de produtividade, divisão do trabalho e produção de massa. Para esse autor, a EaD implica a divisão do trabalho de ensinar, com a mecanização e automação da metodologia de ensino e a dependência da efetividade do processo anteriormente planejado, o que demanda transformação radical no papel do professor e do estudante, papel que passa a ser regido pelos processos técnicos (Peters, 2009).

De acordo com Belloni (2008), a ênfase exagerada nos modelos economicistas prejudicam as teses de Peters, que deixam de considerar que as experiências de EaD fazem parte do campo da educação. Essa autora também menciona outras críticas feitas que consideram Peters reducionista, defendendo modelos mais integrados, abertos e flexíveis que se adéquem à fase pós-fordista.

Com base no que se expôs, é possível perceber a relação que existe entre o modo de organização da EaD e o modo de produção que está presente em cada momento histórico. Mas, apesar das críticas que recebeu, é importante ressaltar que, para Peters (2009), a EaD não é de maneira alguma um formato de aprendizagem bem definido e fixo e sempre esteve e está em estado de transição.

Assim, Peters (2009) distingue sete modelos:

1. preparação para exame;
2. educação por correspondência;
3. multimídia (de massa);
4. educação a distância em grupo;

5. aluno autônomo;
6. ensino a distância baseado em rede;
7. modelo de sala de aula tecnologicamente estendida.

Todos esses modelos, segundo Peters (2009), trazem as características da EaD e são determinados pela ênfase que se dá para determinado elemento, entre os quais podemos citar, como exemplo, a utilização de recursos tecnológicos. Entretanto, não deixam de estar ligados com a realidade concreta na qual se desenvolvem e da qual dependem diretamente.[b]

No que diz respeito às características da EaD de uma maneira geral, Preti (2002, p. 32) aponta como fundamentais as seguintes:

[b] Na atualidade, tem-se dado muito destaque para modelos que enfatizam o aprendizado em rede e a integração de mídias diversas. Levy (1999), Silveira (2001), Alves e Nova (2003), Preti (2000), Ramal (2002), entre outros, apontam novos papéis para alunos e professores nos quais o trabalho em rede permitiria uma revisão das concepções tradicionais desses atores, proporcionando novas formas de comportamento comunicativo, mais significativas no processo de construção e difusão do saber (Dias; Leite, 2010, p. 35).

1. *Educandos e educadores estão separados pelo tempo e/ou espaço;*
2. *Há um canal ou canais que viabilizam a interação (canais humanos) e/ou a interatividade (canais tecnológicos) entre educadores e educandos. Trata-se, portanto, de um processo mediatizado;*
3. *Há uma estrutura organizacional complexa a serviço do educando: um sistema de EaD com subsistemas integrados (comunicação), orientação acadêmica, produção de material didático, gestão etc.;*
4. *A aprendizagem se dá de forma independente e individualizada (autoaprendizagem) e por meio de interações sociais (com os colegas do curso, os orientadores acadêmicos etc.).*

Pelas características apresentadas e considerando as suas exigências, podemos perceber que essa modalidade educacional nem sempre é adequada para todos os segmentos populacionais. Segundo Preti (2002), algumas experiências com crianças, adolescentes e jovens foram malsucedidas, de tal modo que essa modalidade (EaD) é muito mais indicada para estudantes adultos.

É preciso reconhecer que, como modalidade, a EaD pressupõe a otimização e intensificação não só do atendimento aos alunos, mas também dos recursos disponíveis para ampliação de oferta de vagas, sem que isso represente a instalação de grandes estruturas físicas organizacionais. "Esta otimização de recursos humanos e financeiros, com consequente relação baixa de custos-benefícios, talvez seja o aspecto que mais interessa a administradores e governantes e faça com que apoiem experiências em Educação a Distância" (Preti, 2002, p. 71).

> Segundo Preti (2002), algumas experiências com crianças, adolescentes e jovens foram malsucedidas, de tal modo que essa modalidade (EaD) é muito mais indicada para estudantes adultos.

Nessa organização otimizada e intensificada, temos como elementos constituintes:

- a distância física entre professor e estudante;
- o estudo individualizado e independente;
- o processo de ensino-aprendizagem mediatizado;
- o uso de tecnologias;
- a comunicação bidirecional.

As características da EaD são:

- abertura, ou seja, a amplitude na oferta de cursos e redução de barreiras e requisitos de acesso à educação;
- flexibilidade de espaço, tempo e ritmos de aprendizagem;
- adaptação para atender às necessidades dos alunos;
- eficácia do suporte tecnológico administrativo que estimula o estudante;
- formação permanente, haja vista a grande demanda por atualização;
- economia de tempo, espaço e recursos (Preti, 2002).

Já no que diz respeito à estrutura e funcionamento da EaD, Preti (2002) aponta como necessários os seguintes elementos:

- **O aluno**: É um adulto que irá aprender a distância.
- **Os orientadores acadêmicos**: Têm a função de acompanhar e apoiar os estudantes.
- **Material didático**: Possibilita o diálogo entre o professor e o aluno.
- **Centro ou Núcleo de EaD**: Composto por uma equipe de especialistas em EaD, comunicação, multimídia e tecnologia educacional, para oferecer todos os suportes necessários ao funcionamento do sistema de EaD.

Para o funcionamento adequado desse sistema, Preti (2002) ainda aponta dois elementos fundamentais: o primeiro é a **comunicação**, que deverá ser multidirecional, com diferentes modalidades e vias de acesso; já o segundo é a **estrutura organizativa**, composta por subsistemas para concepção, produção, distribuição de materiais didáticos, direção de comunicação, condução do processo de ensino-aprendizagem, avaliação e os centros (polos) ou unidades de apoio (Preti, 2002).

O professor também assume características bastante singulares nessa forma de organização da educação. Para Belloni (2008, p. 83), o professor na EaD assume múltiplas funções, como:

- conceptor e realizador de cursos e materiais, que prepara os planos de estudo, currículos e programas, seleciona conteúdos e elabora textos- -base para as disciplinas do curso;

- professor formador, que orienta o estudo e a aprendizagem, dá apoio psicossocial ao estudante, ensina a pesquisar, processar a informação e a aprender;

- professor-pesquisador, que se atualiza em sua disciplina específica, em teorias e métodos de ensino-aprendizagem, reflete sobre sua prática e participa da pesquisa dos seus alunos;

- tecnólogo educacional, que é responsável pela organização pedagógica dos conteúdos e por sua adequação aos suportes técnicos a serem utilizados na produção de materiais de curso, sendo sua tarefa mais difícil integrar as equipes pedagógicas e técnicas;

- professor-tutor, que orienta o aluno em seus estudos relativos à disciplina pela qual é responsável, esclarece dúvidas e explica questões relativas aos conteúdos da disciplina;

- monitor, que coordena e orienta a exploração de materiais em grupos de estudo de modo que sua função se relaciona mais com sua capacidade de liderança do que com o conhecimento dos conteúdos estudados;

- professor-recurso, que assegura uma espécie de "balcão de respostas" para as dúvidas pontuais dos alunos relativas ao conteúdo e à organização dos estudos e das avaliações.

No entanto, essa lista não é e nem pretende ser completa, já que nem todas as funções estão presentes em todos os modelos de EaD. Porém, essas funções expressam a divisão do trabalho na EaD, cuja característica principal é "a transformação do professor de uma entidade individual em uma entidade coletiva" (Belloni, 2008, p. 81).

De acordo com o que propõe Preti (2002), outro elemento de grande importância na organização da EaD é a utilização da nomenclatura *orientador acadêmico* em substituição à de *tutor*. Ainda segundo Preti (2002, p. 33), essa mudança se trata de uma opção epistemológica, já que numa perspectiva interacionista "a aprendizagem se dá na relação dialógica e de trocas entre educador e educando, não cabendo a ideia de submissão ou de tutela, ainda mais quando tratamos de adultos".

Entretanto, os documentos oficiais do MEC mencionam as figuras do tutor a distância e do tutor presencial. Não obstante às posições de diversos autores, é preciso não perder de vista a importância do papel do professor nos processos educativos, que, como educador, precisa estar cada vez mais atualizado e em processo de formação contínua.

Dada a importância dessa questão e o fato de a EaD ser indicada como uma excelente estratégia para a oferta de formação continuada de professores, vamos abordá-la com maior atenção no tópico a seguir.

2.2
Educação a distância (EaD) e formação continuada de professores

A formação continuada, como geralmente se apresenta, é uma prática que já traz em si uma contradição, pois ao se reafirmar constantemente sua necessidade, ao mesmo tempo está se afirmando que a formação inicial não foi satisfatória e que o professor não é capaz de se atualizar autonomamente (Gatti, 2008).

> **pare e pense**
>
> Mas não é justamente a autonomia uma das qualidades que a formação continuada, principalmente a realizada a distância, objetiva desenvolver no professor? Por que isso não é alcançado na formação inicial? Afinal, o que é realmente uma formação integral do professor?

Nesta obra, partimos do pressuposto de que uma formação integral precisa compreender algumas questões fundamentais, quais sejam: ontológica, gnosiológica/epistemológica, ético-política e pedagógica. Entre elas existe, pois, uma relação de mútua complementariedade. Em outras palavras, o professor que possui uma clareza na questão ontológica, ou seja, na sua identidade, no ser professor, também terá os outros fundamentos atendidos, já que de outra forma uma carência na ontologia acarretará dificuldades gnosiológicas, epistemológicas, pedagógicas, entre outras (Pinto, 1979).

É preciso esclarecer que, ao se falar de cada questão em particular, não se propõe uma divisão na formação do professor. Essa aparente divisão é apenas didática para facilitar a compreensão do que está sendo exposto.

Ao se refletir sobre a **ontologia**[c], já de início é possível perceber a complexidade da realidade tratada.

> [c] Ontologia é a parte da filosofia que trata do estudo do ser como ser. "O Ser é o que é realmente e se opõe ao que parece ser; à aparência. Assim, ontologia significa: estudo ou conhecimento do Ser, dos entes ou das coisas tais como são em si mesmas, real e verdadeiramente" (Chaui, 1995, p. 210).

pare e pense ! O que é ser professor? O que ele faz? Por que faz? Para quem faz?

Todos esses questionamentos ajudam a construir a resposta para a primeira questão, ou seja, a pergunta pelo ser do professor, isto é, o que constitui a identidade docente, o que faz com que alguém seja de fato professor.

Ser professor não é consequência de um dom natural, de uma vocação recebida do além; o sujeito faz-se professor, ele se forma para exercer o trabalho didático e realiza isso em situações concretas. Dito de outra maneira, não é a apreensão de certa quantidade de conhecimento, mesmo que relativamente grande, que garante a um sujeito que este será um bom professor. O conhecimento é necessário, mas não é somente ele que determina a substância da profissão (Pimenta; Anastasiou, 2010). Gramsci (2004, p. 53) ainda lembra que "O *Homo sapiens* não está separado do *Homo faber*".

> Não é a apreensão de certa quantidade de conhecimento, mesmo que relativamente grande, que garante a um sujeito que este será um bom professor.

O professor é aquele que professa, ou seja, aquele que ensina, e para ter essa prática social precisa preparar-se. A profissão de professor não se resume apenas ao ensino. No entanto, sem este, sua ontologia fica extremamente comprometida. É preciso ressaltar também que **o ensino é um ato incompleto sem o aprendizado**. O ensino é uma prática social porque acontece nas relações concretas entre os indivíduos, e também é dialético tanto pela necessidade de exigir o diálogo como pelo fato de que, ensinando, também se aprende, e aprendendo também se ensina. Portanto, o ato de ensinar aponta para a constituição ontológica da profissão de professor (Saviani, 2006).

> **pare e pense**
>
> Ora, mas quem ensina, sempre ensina algo e ensina de alguma maneira para alguém, correto?

Assim, é preciso falar da **gnosiologia**[d] constituinte do ser professor. Uma formação gnosiológica implica ter domínio do que seja o conhecimento, se é possível ensiná-lo, saber como se conhece, o que é possível, enfim, questões que fazem parte do universo da gnosiologia. Novamente é preciso destacar que não é apenas acumulando conhecimento que se dará conta de formar o professor no horizonte gnosiológico. O ato de conhecer é histórico; assim, todo conhecimento é um processo que acontece em um contexto concreto determinado e em determinadas condições (Saviani, 2006).

[d] *Gnosiologia* diz respeito a uma teoria do conhecimento de um modo geral. Com isso não excluímos, por exemplo, a importância da arte e suas diferentes linguagens na formação do professor.

De acordo com Severino (2007), o conhecimento é o elemento específico fundamental na construção do destino da humanidade, do qual decorre sua importância e a grande relevância da educação, já que sua legitimidade surge de sua vinculação íntima com o conhecimento.

Em outras palavras, uma formação gnosiológica necessária à possiblidade de explicitação dos fenômenos complexos e contraditórios, assim como as demais questões fundamentais aqui tratadas, requer condições concretas, sujeitos bem preparados, tempo e instrumentos que são necessários para que possa ser realizada. A percepção da necessidade de formar-se permanentemente está muito ligada a uma formação gnosiológica apropriada.[e]

> [e] É importante salientar que o termo *gnosiológico* refere-se à teoria do conhecimento em geral, e *epistemológico* à teoria do conhecimento científico (Pinto, 1979).

No entanto, nenhuma das questões fundamentais aqui enfocadas constitui-se num atributo neutro ou isolado. Como já mencionamos, existe entre elas uma relação de **imbricamento mútuo**.

> A percepção da necessidade de formar-se permanentemente está muito ligada a uma formação gnosiológica apropriada.

Nesse sentido, é importante salientar a dimensão **ético-política** na formação do professor. Apesar de se tratar de um tema presente na história da humanidade desde as primeiras civilizações de que temos informações, essa dimensão nem sempre recebe a atenção merecida no processo de formação de professores. Por vezes, a simples abordagem do tema já é considerada superficialmente por alguns como doutrinação ou uma obrigação a mais para o profissional docente.

A dimensão ético-política extrapola o âmbito da busca por leis ideais que garantam o consenso na sociedade. Não se trata apenas de alcançar o pensamento adequado sobre determinado objeto ou situação. A ética e a política se realizam em condições concretas, são produzidas juntamente com o ser humano e necessárias para sua existência. Por isso, a dimensão ético-política não pode ser vista como uma disciplina a mais no currículo da formação docente, uma vez que está presente em todas as relações humanas. O professor é um formador e seu trabalho se realiza em um contexto de relação social ético-político (Saviani, 2006).

Para Severino (2007), é a própria dignidade humana que fundamenta esse compromisso ético-político da educação e exige que se garanta aos seres humanos o compartilhar dos bens naturais, sociais e culturais. Se esse é um compromisso da educação, então é um compromisso de todas as instituições e de todos os sujeitos nela envolvidos.

A dimensão ético-política é constitutiva dos indivíduos como produção desses próprios indivíduos em condições históricas concretas. Para possibilitar a vida em sociedade, os seres humanos estabelecem normas, criam leis, produzem e seguem costumes. Assim, cada sociedade em cada época histórica define os valores positivos e negativos, o que é permitido e o que é proibido aos seus membros. "Se a política tem como finalidade a vida justa e feliz, isto é, a vida propriamente humana digna de seres livres, então é inseparável da ética" (Chaui, 1995, p. 384). A ausência ou carência de uma formação ético-política tem como consequência direta a desumanização, uma vez que conduz à desconsideração das bases axiológicas que norteiam as relações sociais (Saviani, 2006).

Outra questão fundamental na formação docente é a **epistemológica**[f] e implica consideração do que seja o conhecimento científico, ou quais elementos são considerados para que

[f] A epistemologia aqui é entendida como teoria do conhecimento científico, ou seja, ela traz os fundamentos para compreendermos o que é o conhecimento científico e como ele é produzido.

o conhecimento receba tal adjetivo. Já de início é possível perceber que não há neutralidade na ciência como pretendem alguns. A constatação do que seja ou não conhecimento científico passa pela compreensão do que é a ciência. Ora, também a ciência, a construção do conhecimento científico, realiza-se em condições concretas, há necessidades, decisões, consequências, enfim, a ciência não é neutra porque não se faz por si, há sempre um quem realizador que não é necessariamente um indivíduo (Pinto, 1979).

Essas considerações fazem perceber a importância da formação epistemológica do professor. Este trabalha com o conhecimento, com o seu ensino e nunca se trata apenas do que, mas do quem, do como, do para quê e do para quem o conhecimento é produzido e em que condições. Estar despreparado epistemologicamente é negar a identidade do próprio trabalho. Para Severino (2007, p. 25), a atividade de ensinar e aprender, ou seja, educar, está intimamente vinculada a esse processo de construção do conhecimento, pois "ensinar e aprender significa conhecer; e conhecer por sua vez significa construir o objeto; mas construir o objeto significa pesquisar".

Por fim, é preciso comentar sobre a dimensão pedagógica como elemento fundamental na formação docente. Aqui, o ensino é uma prática social importantíssima para que se possa desenvolver uma abordagem adequada. A dimensão pedagógica não se esgota no ensino, mas sem ele sua constituição e principalmente sua caracterização específica seria muito complicada. O ato de ensinar é característico do trabalho do professor; portanto, é inconcebível que um docente não seja preparado para tal. Mas a maneira como se compreende o ensino e, sobretudo, a forma concreta como ele se realiza são determinantes na efetivação da dimensão pedagógica do ser docente (Saviani, 2006).

Assim, é preciso destacar aqui a necessidade e a importância da pesquisa no processo de ensino e aprendizagem, ainda mais quando se faz referência à formação de professores. A pesquisa "é mediação necessária e eficaz para o processo de ensino e aprendizagem. Só se aprende e só se ensina pela efetiva prática da pesquisa" (Severino, 2007, p. 26).

Nessa perspectiva, vale ressaltar que uma formação continuada em que esteja ausente a prática de pesquisa é, em seu todo, questionável. Assim como a educação superior, a formação continuada precisa ter na pesquisa o ponto básico de apoio e sustentação, sob pena de criar um círculo vicioso que nada mais promova do que a semiformação ou o repisar de práticas já muito desgastadas (Severino, 2007).

O enfoque dessas questões fundamentais faz perceber que uma formação de professores pertinente exige condições, infraestrutura, preparação, compromisso ético-político e não pode ser reduzida simplesmente a uma instrumentalização técnica realizada de forma rápida e em locais impróprios (Gatti, 2008; Pereira; Peixoto; Fornalski, 2010).

Por isso, importa reafirmar aqui a necessidade de a formação de professores realizar-se na universidade, onde se articulam efetivamente ensino, pesquisa e extensão, ou seja, como salienta Severino (2007, p. 24), formar "a partir da pesquisa: ou seja: só se aprende, só se ensina, pesquisando; só se presta serviços à comunidade, se tais serviços nascerem e se nutrirem da pesquisa".

As considerações aqui apresentadas constituem, pois, uma base teórica para uma análise crítica da EaD e sua presença marcante na formação inicial e continuada de professores. Essas considerações apontam a necessidade de aprofundar a compreensão da relação entre política, trabalho e educação, o que faremos no próximo tópico.

2.3
Política, trabalho e educação

Refletir sobre a relação entre política, trabalho e educação é tarefa fundamental quando se deseja discutir, avaliar e propor políticas educacionais, uma vez que as decisões tomadas terão impacto direto no trabalho dos educadores e no futuro de uma sociedade como um todo.

Como lembra Marx, na obra *Introdução à crítica da economia política*, "O homem é, no sentido mais literal, um *zoon politikon*, não só animal social, mas animal que só pode isolar-se em sociedade" (Gorender, 1982, p. 4). Explica o autor de *O capital* que, quanto mais se recua na história, mais se percebe a dependência do indivíduo e do indivíduo produtor, como também se nota que mais amplo é o conjunto das relações a que pertence. O ser humano é quem produz a sua própria existência e faz isso em sociedade. No processo de humanização, os seres humanos constituíram-se como tal justamente pela interdependência. Também hoje nos servimos de bens para alimentação, vestuário, transporte etc., cujos produtores desconhecemos (Melo, 2011). Marx considera uma coisa absurda a produção do indivíduo isolado, fora da sociedade, como seria a produção da linguagem sem indivíduos que vivem juntos e falam entre si. E todas as épocas da produção têm certas características comuns, certas determinações comuns que estão ligadas ao grau de desenvolvimento social dos indivíduos sociais (Marx, 1982, p. 4).

Na qualidade de produção humana e histórica, a política é derivada da própria ontologia do ser humano, ou seja, o ser humano é político porque historicamente se faz um ser político. No entanto, a produção da política está inserida em um contexto de múltiplas determinações e contradições que são próprias do existir humano em sociedade.

Para Marx, o trabalho modifica a própria maneira de ser do homem, ou seja, "O trabalho que ultrapassa a mera atividade instintiva é assim a força que criou a espécie humana e a força pela qual a humanidade criou o mundo como o conhecemos" (Braverman, 1981, p. 52). Esse modo de pensar nos leva a entender que a maneira com que o ser humano trabalha atualmente é um produto histórico-social sobreposto à sua maneira instintiva de trabalhar. Diferentemente dos seres humanos, a unidade entre a força motivadora e o trabalho em si, mesmo nos animais, é inviolável, de tal forma que uma aranha, por exemplo, não pode

> Na qualidade de produção humana e histórica, a política é derivada da própria ontologia do ser humano, ou seja, o ser humano é político porque historicamente se faz um ser político.

ensinar a outra uma nova forma de trabalhar. Entre os humanos, ao contrário, a ideia concebida por uma pessoa pode ser executada por outra e restaurada na oficina, em um determinado grupo ou até na sociedade como um todo.

Como explica Braverman (1981), o mais antigo princípio inovador do modo de produção capitalista foi a divisão manufatureira do trabalho e, de uma forma ou de outra, permaneceu o princípio fundamental da organização industrial. Antes do capitalismo, nenhuma sociedade subdividiu sistematicamente o trabalho em operações limitadas. A divisão social do trabalho é, aparentemente, uma característica inerente ao trabalho humano, tão logo ele se converte em trabalho social, isto é, trabalho executado na sociedade e por meio dela. Muito contrária a essa divisão é a divisão pormenorizada (manufatureira) do trabalho, que é o parcelamento dos processos implicados na feitura do produto em numerosas operações executadas por diferentes trabalhadores.

> Enquanto a divisão social do trabalho subdivide a sociedade, a divisão parcelada subdivide o homem, e enquanto a subdivisão da sociedade pode fortalecer o indivíduo e a espécie, a subdivisão do indivíduo, quando efetuada com menosprezo das capacidades e necessidades humanas, é um crime contra a pessoa e contra a humanidade. (Braverman, 1981, p. 72)

Sendo o trabalho uma atividade essencialmente humana e que constitui o próprio ser humano, é possível afirmar, a partir da consideração anterior, que a divisão social do trabalho, ao destruir ocupações específicas, descaracteriza e destrói o próprio ser humano. E é nesse sentido que Marx (citado por Braverman, 1981, p. 72) afirma que "A divisão do trabalho no interior de uma sociedade e a divisão no interior de uma oficina diferem não apenas em grau, mas também em espécie". Não se trata de uma alteração meramente quantitativa, mas também, e principalmente, qualitativa, com consequências na própria constituição do ser humano.

Saviani (2006), ao tratar dos fundamentos ontológicos e históricos da relação trabalho e educação, afirma que, rigorosamente falando, apenas o ser humano trabalha e educa. Essas são, portanto, atividades exclusivamente humanas. Conforme o autor, a essência humana não é uma dádiva natural, garantida pela natureza, mas produzida pelos próprios seres humanos:

> Ora, o ato de agir sobre a natureza transformando-a em função das necessidades humanas é o que conhecemos sob o nome de trabalho. Podemos, pois, dizer que a essência do homem é o trabalho. A essência humana não é, então, dada ao homem; não é uma dádiva divina ou natural; não é algo que precede a existência do homem. Ao contrário, a essência humana é produzida pelos próprios homens. O que o homem é, é-o pelo trabalho. A essência do homem é um feito humano. É um trabalho que se desenvolve, se aprofunda e se complexifica ao longo do tempo: é um processo histórico. (Saviani, 2006, p. 3, grifo nosso)

Nesse mesmo sentido, a educação, a formação do homem, é um processo que coincide com o ser do homem:

> Se a existência humana não é garantida pela natureza, não é uma dádiva natural, mas tem que ser produzida pelos próprios homens, sendo, pois, um produto do trabalho, isto significa que o homem não nasce homem. Ele se forma homem. Ele não nasce sabendo produzir-se como homem. Ele necessita aprender a ser homem, precisa aprender a produzir sua própria existência. Portanto, a produção do homem é, ao mesmo tempo, a formação do homem, isto é, um processo educativo. A origem da educação coincide, então, com a origem do homem mesmo. (Saviani, 2006, p. 4)

Com base nas considerações citadas é possível perceber que a relação entre trabalho e educação é uma relação dialética, que acontece no movimento histórico. "Os homens aprendiam a produzir sua existência no próprio ato de produzi-la. Eles aprendiam a trabalhar, trabalhando" (Saviani, 2006, p. 4). Todavia, o desenvolvimento da produção conduziu à divisão do trabalho. Surgiu a propriedade privada e com ela a divisão dos seres humanos em classes. Esse fato é fundamental na história da humanidade e implicará diretamente a própria compreensão ontológica do ser humano.

Como afirma Saviani (2006), se é o trabalho que define a essência humana, então não é possível viver sem trabalhar. Todavia, a propriedade privada torna possível viver do trabalho alheio. A divisão dos seres humanos em classes provoca também uma divisão na educação, de modo que passaram a existir na história da humanidade dois tipos de educação – uma voltada para os proprietários, livres, que privilegiava a arte da palavra, o intelectual, bem como exercícios físicos de caráter militar, e outra voltada para os escravos, que enfatizava o próprio processo de trabalho. O primeiro tipo de educação deu origem à escola e consequentemente ao processo de institucionalização da educação, que não acontece em um processo contínuo e regular, mas profundamente marcado por contradições e rupturas.

Com o surgimento do capitalismo, a relação trabalho e educação sofreu uma nova determinação. A emergência do capitalismo e as mudanças no modo de produção da vida passaram a exigir dos seres humanos um nível elementar de cultura para poder se inserir nessa nova maneira de produzir e garantir a própria existência. Como afirma Saviani (2006, p.9), "à Revolução Industrial correspondeu uma Revolução Educacional: aquela colocou a máquina no centro do processo produtivo; esta erigiu a escola em forma principal e dominante de educação".

Essas considerações trazem elementos que colaboram fundamentalmente na reflexão sobre política, trabalho e educação. Uma consideração importante a ser feita diz respeito às condições do atual modo de produção. No capitalismo globalizado, a educação e o trabalho educativo assumiram características bastante singulares.

O avanço tecnológico e, sobretudo, a contínua mercadorização de serviços chegaram também ao setor educacional. Assim, a educação se tornou insumo necessário para o sistema, cujas ocupações exigem maior qualificação, e se converteu também em um grande nicho para a geração de lucros.

Síntese

Neste capítulo, abordamos os fundamentos, características e componentes da EaD. Com base nas contribuições de diversos autores e no que apresentam os documentos oficiais relacionados à EaD no Brasil, procuramos expor os elementos constituintes e caracterizadores da educação a distância. Salientamos também que, como modalidade, a educação a distância pressupõe a otimização e intensificação não só do atendimento aos alunos, mas também dos recursos disponíveis para ampliação de oferta de educação formal. Entre os elementos constituintes da EaD, destacamos a distância física entre professor e estudante e o processo de ensino-aprendizagem mediatizado pelo uso de tecnologias de informação e comunicação.

Com relação às características, apontamos também a amplitude na oferta de cursos, a redução de barreiras e requisitos de acesso à educação e a flexibilidade de espaço, tempo e ritmos de aprendizagem. No tocante à EaD e à formação continuada de professores, destacamos que, para uma formação integral, o professor precisa compreender algumas questões fundamentais, quais sejam: ontológica, gnosiológica/epistemológica, ético-política e pedagógica.

Sobre a relação entre política, trabalho e educação, procuramos mostrar a você de que maneira a mercadorização chegou também ao setor educacional por meio do desenvolvimento do capitalismo.

Indicações culturais

Filme

A REDE social. Direção: David Fincher. EUA: Sony Pictures, 2010. 190 min.

Esse é um filme excelente para analisar o papel das redes sociais atualmente, discutir questões éticas e reconhecer a influência das tecnologias na vida das pessoas.

Documentários

O JEITO Google de trabalhar. Direção: National Geographic. EUA: National Geographic Channel, 2010. 45 min.

Esse é um documentário indicado para refletir sobre a organização do trabalho na atualidade. Gravado em diferentes escritórios da Google em todo o mundo, mostra uma filosofia de trabalho e uma forma de organização para o trabalho muito particular.

PRO DIA nascer feliz. Direção: João Jardim. Brasil: Copacabana Filmes, 2007. 88 min.

Esse documentário é indicado para realizar debates sobre a qualidade do ensino e o acesso à educação, sobretudo para discutir a questão da igualdade no acesso, uma vez que enfatiza esse problema.

Livro

ANTUNES, R.; SILVA, M. A. (Org.). O avesso do trabalho. São Paulo: Expressão Popular, 2006.

Esse livro é uma coletânea de artigos que resultaram de pesquisas realizadas durante vários anos com trabalhadores urbanos e rurais, operários de diferentes indústrias, bancários e migrantes brasileiros para o Japão, refletindo também sobre as marcas do trabalho.

Para melhor ilustrar essa perspectiva do trabalho – que é focalizada na obra citada anteriormente –, sugerimos que você assista ao filme *Tempos Modernos*, de Charles Chaplin; embora os protagonistas sejam outros, o cenário e o *script* apresentam várias cenas da vida cotidiana no interior do espaço do trabalho.

Site

ABED – ASSOCIAÇÃO BRASILEIRA DE EDUCAÇÃO A DISTÂNCIA. Disponível em: <http://www2.abed.org.br>. Acesso em: 1º fev. 2013.

Nesse *site* você encontrará informações atualizadas sobre EaD, no que diz respeito à legislação, cursos, eventos, notícias, entre outras informações.

Atividades de autoavaliação

1. No que diz respeito ao reconhecimento da educação a distância (EaD) no contexto educacional brasileiro, analise as afirmações a seguir e assinale a alternativa correta:

   a) Os preconceitos, que ainda são muito fortes contra a EaD, impediram o reconhecimento oficial dessa modalidade de educacional no país.

   b) A partir da aprovação da Lei de Diretrizes e Bases da Educação Nacional (LDBEN) nº 9.394/1996, a EaD ganhou *status* de modalidade plenamente integrada ao sistema de ensino brasileiro.

   c) A EaD foi reconhecida e autorizada para oferta de educação básica, ficando reservada a oferta de educação superior para a modalidade presencial.

   d) A Constituição Federal de 1988 reconheceu a EaD como modalidade educacional plenamente vinculada a todos os graus de ensino no Brasil.

2. Os Referenciais de Qualidade para Educação Superior a Distância, publicados pelo MEC em 2007, apresentam oito itens que são considerados fundamentais para determinar a qualidade da EaD. Entre os fatores indicados a seguir, fazem partem desses itens:

   I. A concepção de educação e currículo no processo de ensino-aprendizagem.

   II. A quantidade de alunos matriculados nas instituições de ensino superior.

   III. Sustentabilidade financeira.

   IV. O material didático.

Estão corretos somente os itens:
a) I, II e III.
b) II, III e IV.
c) I, II e IV.
d) I, III e IV.

3. Como destacamos nas análises realizadas neste capítulo, compreensões erradas da EaD podem provocar consequências muito sérias, sobretudo no campo pedagógico. Dessa maneira, para uma compreensão adequada da EaD, é correto afirmar que:

   a) com a EaD, tudo é novo na educação, e que, portanto, não é possível compreendê-la com velhos paradigmas.
   b) a EaD é a solução a tanto tempo procurada para resolver os problemas educacionais em nível mundial e principalmente no Brasil.
   c) a EaD é, antes de tudo, educação, e precisa ser compreendida nesse horizonte maior que é o fenômeno educativo.
   d) o aspecto mais importante na EaD é a distância, já que esse adjetivo é o único que determina suas características principais.

4. No que diz respeito à formação inicial e continuada de professores e suas implicações, analise as afirmações a seguir e marque (V) para as verdadeiras e (F) para as falsas. Em seguida, assinale a alternativa que apresenta a sequência correta da marcação.

   ( ) Ofertar uma boa formação para professores requer condições concretas, sujeitos bem preparados, tempo e instrumentos apropriados.
   ( ) A formação de professores, seja inicial ou continuada, não pode envolver questões políticas, pois isso provoca desgaste e desperdício de tempo.

( ) Uma formação docente apropriada implica proporcionar o domínio das práticas pedagógicas e dos seus fundamentos.

( ) A questão epistemológica é fundamental na formação docente, uma vez que o trabalho docente envolve ensino e pesquisa.

a) V, F, V, V.
b) V, V, F, F.
c) F, F, V, V.
d) F, V, F, V.

5. Saviani (2006), ao tratar dos fundamentos ontológicos e históricos da relação entre trabalho e educação, afirma que, rigorosamente falando, apenas o ser humano trabalha e educa. Com base nessa consideração sobre a relação entre trabalho e educação, é correto afirmar que:

I. a educação não pode ser considerada um trabalho especificamente, uma vez que só o ser humano pode fazê-la.

II. trabalhar e educar são atividades essencialmente humanas e que possibilitam a constituição do ser humano como tal.

III. como o trabalho precisar ser remunerado, não podemos considerar a educação como trabalho, ainda mais a educação no ambiente familiar.

IV. a produção e a formação do ser humano são realizações que se coincidem, o que ressalta a importância do trabalho educativo.

Estão corretas somente as proposições:

a) I e III.
b) II e III.

c) II e IV.
d) I e IV.

Atividades de aprendizagem

Questões para reflexão

1. Com base nas considerações realizadas neste capítulo, reflita sobre a formação inicial e continuada de professores e faça uma relação com as possibilidades que a EaD oferece para que essa formação se realize.

2. Com base nas reflexões realizadas neste capítulo, faça uma breve descrição da EaD indicando três das suas principais características.

Atividades aplicadas: prática

1. Entreviste um professor que tenha realizado um curso de licenciatura na modalidade a distância. Pergunte sobre a identidade docente, ou seja:

    - O que significa para ele(a) ser professor(a)?
    - O fato de ter estudado a distância faz com que ele(a) seja mais ou menos reconhecido(a) na sua profissão?

   Após a coleta das informações, reflita com seus colegas de turma sobre essas questões.

2. Elabore um texto dissertativo sobre o tema "Qualidade na EaD", comentando os três elementos apresentados pelos Referenciais de Qualidade para Educação Superior a Distância MEC (2007) que indicamos a seguir:

1º A ideia pluralista de que não há um modelo único para EaD.

2º A concepção de conhecimento não como mera transmissão, mas construção.

3º A necessidade de qualificação permanente dos profissionais envolvidos.

3.

O *que* e o *quem* da educação a distância (EaD)

Iniciando o diálogo

Este capítulo tem como objetivo a análise dos fundamentos da educação à distância (EaD). Para tanto, considera-se fundamental compreendê-la no horizonte maior da educação.

Nesse sentido, Preti (2002) considera importante abandonar o debate sobre as especificidades da EaD, sobretudo quando se trata de comparações com a educação presencial, para que as discussões e estudos sejam centrados nos fundamentos da educação, pois existem diferentes caminhos de construção da EaD vinculada à sua teoria, à prática educativa e à práxis pedagógica social.

Com isso, evita-se o perigo de considerar a EaD como um hiato, um fenômeno único, desligado do seu contexto que é a realidade da educação. Ao se falar de EaD, é necessário "não centrar o foco na 'distância', e sim nos processos formativos da Educação, fazendo recurso a abordagens contextualizadas, situadas, críticas e libertadoras da Educação" (Preti, 2002, p. 29).

Essa consideração também evidencia que, ao se tratar da EaD, não se pode desconsiderar o que já se pesquisou e produziu no campo educacional e, principalmente, o fato de a EaD ser um constructo histórico, cujo movimento precisa ser captado para perceber se há tensões por conta dos projetos históricos envolvidos.

A EaD tem sido objeto de estudos com crescente intensidade, culminando em produção de artigos e revistas especializadas em diferentes áreas de reflexão e ação pedagógica, tornando-se também um assunto presente em espaços nos quais circulam educadores e instituições, dotados ou não de experiência, mas tendo em comum a busca por caminhos de atuação em projetos que comportem esse tipo de educação (Lobo Neto, 2000).

Seguindo a disposição de Keegan (2003) acerca de alguns elementos centrais que se referem ao conceito da EaD, o mais relevante é a separação física entre professor e aluno, já que, na EaD, essa aproximação acontece por meio de suportes pedagógicos que a distinguem do ensino presencial. Outros elementos são:

- a influência da organização educacional permanente (planejamento, sistematização, plano, organização dirigida etc.), que a diferencia da educação presencial;
- a utilização de meios técnicos de comunicação, que servem para ligar o professor ao aluno e transmitir os conteúdos educativos;

- a previsão de uma comunicação de mão dupla, na qual o estudante se beneficia de um diálogo e da possibilidade de iniciativas de dupla via;
- a possibilidade de encontros ocasionais com propósitos didáticos e de socialização.

De acordo com Guarezi e Matos (2009, p. 20), os conceitos de EaD mantêm em comum a separação física entre o professor e o aluno, o que é permanente, e a existência de tecnologias para mediatizar a comunicação e o processo de ensino-aprendizagem. A evolução do conceito se dá no que se refere às mudanças que ocorrem no processo de comunicação, pois a EaD cada vez mais passa a possuir maiores possibilidades tecnológicas para efetivar a interação entre os pares para a aprendizagem.

Kenski (2009) apresenta as escolas virtuais como um local de partilhamento de fluxos e mensagens, que visa à difusão dos saberes, construindo um ambiente virtual de aprendizagem que é fundado para estimular a realização de atividades colaborativas, inibindo o sentimento de solidão do aluno, que dialoga somente com o computador ou com o instrutor virtual. Contrariamente, na construção de novas formas de aprendizagem, a escola virtual tem um espaço estruturado pelas comunidades *on-line*, nas quais alunos e professores dialogam de modo contínuo e disseminam seu conhecimento.

Nesse sentido, para ampliar os horizontes da discussão antes mencionada, convém apresentar alguns conceitos de EaD[a], uma vez que estes estão presentes na literatura que trata do tema e têm sido objeto

[a] De acordo com Preti (2002, p. 30), não há unanimidade sobre o que se entende por ensino ou educação a distância. Citando a obra de Garcia Aretio (1994), *Educación a distancia hoy*, Preti lembra que esse autor apresenta mais de 20 definições para EaD, que mais do que fazer uma escolha permite aportar as características principais da EaD.

de reflexões e discussões que se refletem nas decisões sobre as políticas para a EaD. Em sua maioria, esses conceitos são de caráter descritivo, construídos com base no ensino presencial. Além disso, enfatizam a separação física entre professor e aluno e a utilização de tecnologias para que o processo de comunicação se realize (Guarezi; Matos, 2009).

Entre outros, podemos considerar o conceito de EaD idealizado por Aretio (1994, citado por Guarezi; Matos, 2009, p. 19):

> *EaD é um sistema tecnológico de comunicação bidirecional, que substitui a interação pessoal, em sala de aula, entre professor e aluno como meio preferencial de ensino pela ação sistemática e conjunta de diversos recursos didáticos e pelo apoio de uma organização tutorial de modo a propiciar a aprendizagem autônoma dos estudantes.*

Nessa mesma perspectiva descritiva e elaborada com base no ensino presencial, está o conceito apresentado por Guédes (1984, citado por Preti, 2002, p. 31), que diz que a "Educação a Distância é uma modalidade mediante a qual se transferem informações cognitivas e mensagens formativas por meio de vias que não requerem uma relação de contiguidade presencial em recintos determinados".

Outra definição é a expressa por Marin Ibañez (1986, citado por Preti, 2002, p. 31):

> *Educação a Distância é um sistema multimídia de comunicação bidirecional com o aluno afastado do centro docente e ajudado por uma organização de apoio, para atender de modo flexível à aprendizagem de uma população massiva e dispersa. Este sistema somente se configura em recursos tecnológicos que permitam economia de escala.*

Também o conceito proposto por Moore (1990, citado por Belloni, 2008, p. 26) tem forte caráter descritivo e é construído com base no ensino presencial, destacando a função das tecnologias no processo.

Educação a Distância é uma relação de diálogo, estrutura e autonomia que requer meios técnicos para mediatizar esta comunicação. Educação a Distância é um subconjunto de todos os programas educacionais caracterizados por: grande estrutura, baixo diálogo e grande distância transacional. Ela inclui também a aprendizagem.

Belloni (2008) considera Moore um representante da corrente americana de inspiração behaviorista[b], de modo que, em suas definições de EaD, ele (Moore) reforça a importância da tecnologia educacional. De acordo com o que propõe o conceito de Moore, a transação denominada *EaD* ocorre entre alunos e professores, em um ambiente que possui como característica especial a separação entre professores e alunos. Essa separação produz diferentes comportamentos de alunos e professores, afetando tanto o ensino quanto a aprendizagem. Esse espaço psicológico e comunicacional que surge dessa separação e que deve ser transposto é chamado de *distância transacional* (Moore, 1993, citado por Dias; Leite, 2010, p. 78). Essa distância geográfica "precisa ser suplantada por meio de procedimentos diferenciadores na elaboração da instrução e na facilitação da interação" (Moore; Kearsley, 2007, p. 240, citado por Dias; Leite, 2010, p. 78).

[b] *Behaviorism* em inglês, também chamado *comportamentalismo*, é o conjunto das teorias psicológicas que postulam o comportamento como o mais adequado objeto de estudo da psicologia, eliminando qualquer referência ao que não pode ser observado e descrito em termos objetivos. Pavlov pode ser considerado seu fundador (Abbagnano, 2000, p. 105).

Já Cortelazzo (2010) considera que a definição de Moore e Kearsley se refere à EaD em uma concepção de distribuição de conteúdo ao aluno por meio de suportes tecnológicos em que ficam bem separadas as fases de ensino e aprendizagem. Assim, o uso de meios tecnológicos e a existência de uma complexa estrutura organizacional são considerados elementos essenciais na EaD.

Sobre EaD, referida por Keegan (2003, p. 42), a definição de Holmberg (1977, p. 9) é de que a expressão *educação a distância* esconde-se sob várias formas de estudo, nos vários níveis que não estão sob a contínua e imediata supervisão de tutores presentes com seus alunos nas salas de leitura ou no mesmo local. A EaD se beneficia do planejamento, da direção e da instrução da organização do ensino.

> O uso de meios tecnológicos e a existência de uma complexa estrutura organizacional são considerados elementos essenciais na EaD.

Também podemos mencionar a conceituação registrada por Dohmem (1967, p. 9 citado por Keegan, 2003, p. 41):

> *EaD é uma forma sistematicamente organizada de autoestudo, na qual o aluno se instrui a partir do material de estudo que lhe é apresentado. O acompanhamento e a supervisão do sucesso do estudante são levados a cabo por um grupo de professores. Isso é possível pela aplicação de meios de comunicação capazes de vencer longas distâncias.*

No Decreto nº 5.622, de 19 de dezembro de 2005, que regulamenta a EaD (Brasil, 2005), ela é caracterizada como uma

> *[...] modalidade educacional na qual a mediação didático-pedagógica nos processos de ensino e aprendizagem ocorre com a utilização de meios e tecnologias de informação e comunicação, com estudantes e professores desenvolvendo atividades educativas em lugares ou tempos diversos.* (Brasil, 2005)

Para Peters (2009, p. 70), a EaD é *sui generis*, pois se trata de uma abordagem com estudantes, objetivos, métodos, mídias e estratégias diferentes e, acima de tudo, objetivos diferentes na política educacional. Ela exige, assim, abordagens que difiram dos formatos tradicionais de educação.

> *Educação a Distância é um método de transmitir conhecimentos, competências e atitudes que é racionalizado pela aplicação de princípios organizacionais e de divisão do trabalho, bem como pelo uso intensivo de meios técnicos, especialmente com o objetivo de reproduzir material de ensino de alta qualidade, o que torna possível instruir um grande número de estudantes, ao mesmo tempo, onde quer que eles vivam. É uma forma industrializada de ensino e aprendizagem.* (Peters, 1973, citado por Belloni, 2008, p. 27)

Belloni (2008) considera a definição de Peters (1937) diferenciada e comenta a grande polêmica provocada por esse autor, ao utilizar conceitos da economia e sociologia industrial para definir a EaD, já que suas teses representam uma tentativa de ir além das definições meramente descritivas ou de pelo menos descrever a EaD pelo que ela é.[c]

Não obstante as divergências entre autores, é preciso reconhecer que a EaD aplica princípios industriais na educação. Busca-se o máximo resultado com o menor investimento, o que revela grandes contradições. No entanto, não se pode com isso descartar a EaD completamente e não reconhecer suas potencialidades no campo educacional. É necessário discutir **o tipo de EaD, para** *quê* **e para** *quem* **promovê-la**.

[c] Em uma monografia publicada em 1967, na qual pretende oferecer uma contribuição para a teoria da educação a distância, Otto Peters concebe a EaD como a forma mais industrializada de ensino e aprendizagem. Muito citada, sua abordagem se tornou um conceito amplamente aceito para definição de EaD (Peters, 2009).

Em uma de suas obras mais recentes – *A educação a distância em transição* –, em um tópico intitulado *A verdadeira natureza da educação a distância*, Peters (2009, p. 69) afirma que

> *Há muitos membros do corpo docente que acreditam e estão mesmo convencidos de que a única diferença é apenas a "distância" e a importância da mídia técnica necessária para transpor o abismo entre quem ensina e quem aprende. Na opinião deles o resto do processo de ensino-aprendizagem permanece idêntico. No entanto, esta opinião está errada, mostra uma abordagem equivocada à Educação a Distância e revela uma atitude pedagógica inadequada.*

Peters (2009) chama a atenção para o equívoco de diferenciar a EaD da educação universitária convencional apenas pela introdução de mídias técnicas. Para o autor, é muito mais do que isso, como menciona nos seguintes pontos citando as vantagens da EaD:

- *o objetivo humanitário especial, qual seja a educação dos mal preparados e deixados de lado, inclusive das minorias;*
- *a extensão da educação universitária a adultos e pessoas com obrigações profissionais e familiares, ao objetivo de realizar a aprendizagem permanente, a uma universidade que seja aberta a todas as pessoas que são capazes de estudar e a quem se dá uma "segunda chance" de aproveitar e lucrar com a educação superior;*
- *as oportunidades sem paralelo de educação científica continuada, que é tão necessária em nossa época de constante mudança tecnológica, social e cultural;*
- *sua contribuição para a reforma universitária; e*
- *sua função de precursora da futura "universidade virtual".*

(Peters, 2009, p. 69)

Ainda segundo Peters (2009, p. 69-70), quando se pensa em aprendizagem aberta e a distância, todos esses apontamentos devem ser considerados, já que a EaD é uma abordagem, acima de tudo, com "objetivos diferentes na política educacional".

No entanto, é preciso salientar que, para Peters (2009), não há apenas um conceito (modelo) de EaD, mas sim uma variedade deles. Esses modelos podem petrificar-se ou cristalizar-se, se forem institucionalizados. Por isso, ele considera necessário apresentar um pequeno número de modelos selecionados, o que dá novos *insights* de seus fundamentos conceituais:

1. o modelo da preparação para exame;
2. o modelo da educação por correspondência;
3. o modelo multimídia (de massa);

4. o modelo de EaD em grupo;
5. o modelo de aluno autônomo;
6. o modelo de ensino a distância baseado em rede;
7. o modelo de sala de aula tecnologicamente estendida.

O autor comenta ainda sobre modelos híbridos, nos quais a EaD é um elemento proeminente (Peters, 2009, p. 73-83).

> **pare e pense**
>
> Para Preti (2002, p. 25), a "EaD é, antes de tudo, Educação, é formação humana, é processo interativo de heteroeducação e autoeducação". Mas por que, então, "a distância"?

Procurar compreender a EaD pelo seu adjetivo, ou seja, pela distância, ou qualquer outro dos seus complementos, como a tecnologia utilizada, é tentar entender a EaD pelo que ela não é (Preti, 2002; Beloni, 2008). Isso significa colocá-la em paralelo com a educação presencial e defini-la de uma maneira que ela não é, como educação não presencial, isto é, conferir mais importância ao predicado que ao sujeito, como se ele existisse por si mesmo.

Essa maneira de compreender a EaD provoca um desvio de foco, uma vez que se concentra em "como" o processo acontece, deixando de lado ou para segundo plano a caracterização do "que" ele é e principalmente "quem" o realiza. Em outras palavras, ao se concentrar atenção sobre "a distância", aquilo que é fundamental, "o quem", fica encoberto (Preti, 2002).

Um exemplo do que está se afirmando é a maneira como a tecnologia é enfocada em discursos que pregam a democratização da educação e a promoção da cidadania. Ela aparece como a "redentora" de todos os problemas sociais da humanidade.

Nesses conceitos explicitados, é possível notar que a ênfase em determinados aspectos, tais como o uso de tecnologias, a separação física entre professor e aluno, o processo de comunicação e a mediação negligencia ou ao menos deixa em segundo plano o aspecto social que, como se procurou mostrar, é fundamental no processo educativo (Preti, 2002; Beloni, 2008). Uma abordagem coerente da EaD não se esgota na formulação de um conceito adequado, ou seja, não é conceituando corretamente a EaD que se irá compreendê-la e, por conseguinte, fazê-la como processo educativo emancipatório.

A educação é um fazer, um processo, um trabalho no qual os seres humanos históricos e sociais entram em relação. Assim, ela comporta também uma dimensão política, sendo também um processo concreto historicamente situado e, por isso mesmo, também determinado por essas condições históricas.

Duarte (2009), com base na concepção lukacsiana (relativo a György Lukács) de sociedade, de que ela é um "complexo composto de complexos", propõe uma ontologia da educação com base na consideração de que a educação adquire real significado como objeto da reflexão ontológica somente quando é analisada como um dos complexos que compõem o ser da sociedade. Como o ser da sociedade é histórico, somente nessa perspectiva histórica a essência ontológica[d] da educação pode ser apreendida.

[d] No entanto, quando fala em essência ontológica, o autor não está se referindo a uma essência ideal metafísica, mas à ontologia entendida na perspectiva do materialismo histórico e dialético em que a essência passa a ser vista como algo que é gerado ao longo do processo histórico (Duarte, 2009).

Ora, é justamente essa ausência de fundamento ontológico que se percebe nos conceitos anteriormente apresentados sobre a EaD. O próprio fato de se tratar de conceitos já conduz ao afastamento da reflexão sobre o *quem* da EaD. A ênfase na distância ou no uso das tecnologias tende a relegar para segundo plano ou mesmo excluir a questão ontológica, ou seja, o fato de a EaD se tratar de uma práxis social essencialmente humana.

Essa práxis social aqui referenciada pode ser entendida como a

> *atividade que toma por objeto não um indivíduo isolado, mas sim grupos ou classes sociais[...]. Em um sentido mais estrito, a práxis social é a atividade de grupos ou classes sociais que leva a transformar a organização e a direção da sociedade, ou a realizar certas mudanças mediante a atividade do Estado. Essa forma de práxis é justamente a atividade política.* (Vázquez, 2007, p. 231)

De acordo com o autor supracitado, pode-se, então, dizer que a EaD é práxis na medida em que implica uma ação real, objetiva (atividade material consciente e objetivamente) sobre uma realidade humana, um tipo de práxis na qual o ser humano é sujeito e objeto dela, isto é, na qual ele atua sobre si mesmo (Vázquez, 2007, p. 230). É práxis social porque toma como objeto não um indivíduo isolado, mas grupos ou classes sociais.

3.1
Entendendo os fundamentos didático-pedagógicos da educação a distância (EaD)

A evolução da EaD acompanhou a evolução das tecnologias de comunicação que lhe dão suporte, o que não significa necessariamente evolução pedagógica. "Sempre é possível usar a tecnologia mais avançada para continuar fazendo as mesmas velharias, em particular o velho instrucionismo" (Demo, 2006, p. 90).

Oliveira (2003, p. 11) afirma que "O critério para analisar uma proposta de EaD não parece estar na mediação tecnológica, mas na concepção didático-pedagógica que subjaz tanto ao suporte tecnológico como à sua utilização na mediação".

> Essas concepções didático-pedagógicas, aliadas aos suportes pedagógicos, permitem que a EaD atinja o objetivo de construir o conhecimento.

A criação do conhecimento, portanto, deve sofrer modificações se há pretensão de se criar uma nova escola e, assim, adotar tecnologias novas no contexto educacional será imprescindível, tendo em vista a intenção clara de contribuição ao desenvolvimento da aprendizagem, com a utilização de objetos já formulados. Com essa percepção, os equipamentos tecnológicos se constituem em ferramentas de mediação no processo de aprendizagem constantes na proposta pedagógica da instituição (Alves, G. M., 2009).

Essa construção do conhecimento na EaD deve ser apoiada por um processo de interatividade, com qualidade suficiente para provocar e dar sustentação ao conjunto de aprendizagens pretendidas pelos participantes. Tal processo não acontece apenas com a introdução de Novas Tecnologias de Informação e Comunicação (NTICs) na educação, mas exige a participação comprometida de todos os atores envolvidos para que se tenha uma rede de aprendizagem colaborativa.

Definindo a aprendizagem colaborativa, Santos (2004) lembra que a aprendizagem em ambiente virtual é proporcionada se todos os envolvidos participarem. Esse é um fato que garante a rede de interações construída com recursos comunicacionais.

A aprendizagem colaborativa, portanto, "É uma das formas de construir conhecimento, seja de forma presencial ou em ambiente virtual, requerendo o desenvolvimento de habilidades, por parte do professor e do aluno", em especial quando se tratar da EaD por meio da internet (Santos, 2004, p. 61).

> Santos (2004) lembra que a aprendizagem em ambiente virtual é proporcionada se todos os envolvidos participarem. Esse é um fato que garante a rede de interações construída com recursos comunicacionais.

Um processo colaborativo a ser aplicado em sala de aula tem a base fundamentada em três perspectivas teóricas essenciais:

1. Desenvolvimento Cognitivo, utilizando-se das teorias de Piaget e Vygotsky;
2. Desenvolvimento Comportamental, com abordagem no impacto do comportamento do grupo;
3. Interdependência Social, na ocorrência de compartilhamento de objetivos comuns, quando o sucesso de cada pessoa é afetado pelas ações dos outros, nos moldes de cooperativa e competitiva (Piva Júnior; Freitas, 2009).

Uma postura cooperativa admite a alavancagem na aprendizagem colaborativa, e esta é obtida mediante a adoção e prática de atitudes e aspectos que constroem tais posturas e promovem o desenvolvimento de atitudes.

São citadas por Piva Júnior e Freitas (2009) as seguintes atitudes:

- interação (constante negociação);
- descentralização do pensamento;
- relações hierárquicas;
- responsabilidade do aprendiz pelo seu aprendizado e pelo do grupo;
- ações conjuntas e coordenadas;
- tolerância e convivência com diferenças;
- construção de uma inteligência coletiva;
- reflexão;
- consciência social;
- trocas e conflitos sociocognitivos;
- objetivos comuns;
- tomada de decisão em grupo;
- colaboração.

As atitudes apontadas demonstram uma postura colaborativa que tem na interação humana o seu elemento fundamental. Essa postura colaborativa possibilita uma negociação constante entre os sujeitos envolvidos, trazendo como resposta a assunção de responsabilidade individual de cada sujeito participante do processo com relação ao que aprende e ao que o grupo aprende (Piva Júnior; Freitas, 2009).

Lembra Maia (2009) que a relação entre a cognição e o aprendizado já foi pesquisada por psicólogos e educadores do século XX, como Vygotsky, Paulo Freire e Reuven Feuerstein, tendo sido enfatizada a interação social e sua importância no desenvolvimento intelectual humano.

Nesse ambiente virtual de aprendizagem, a interação se constitui em fator essencial na construção do conhecimento, pois o aluno e o professor propiciam uma bidirecionalidade na emissão e recepção de mensagens, de modo a potencializar a comunicação. Quanto ao âmbito da formação docente a distância, "A aprendizagem colaborativa é a mola propulsora do processo, visto que, [sic] não basta o ambiente oferecer ferramentas que favoreçam a interação dos envolvidos, porém ter um mediador para dinamizar a interação por meio do meio virtual" (Santos, 2004, p. 57).

Uma estrutura de ambiente virtual de aprendizagem colaborativa deve:

- conter informações sobre o ambiente;
- conter ferramentas que possibilitem agendamentos;
- conter pesquisas;
- conter troca de informações;
- conter exposição das produções;
- permitir a busca por ajuda no ambiente, porém, é de extrema importância que haja interação entre sujeitos tendo o ambiente virtual como intermédio dessa ação, cabendo ao professor uma intervenção diferenciada (Santos, 2004, p. 60).

Alguns fatores, no entanto, são pertinentes à EaD, como a **avaliação da aprendizagem**, tema em pauta no contexto da EaD *on-line*, com debate ampliado em razão de novos desafios agregados a essa discussão, como, também, em decorrência dos avanços tecnológicos e da regulamentação da EaD, paralelo ao crescimento considerável na oferta de cursos formais nessa modalidade com parte de sua consolidação sob o amparo legal da Lei nº 9.394, de 20 de dezembro de 1996 – Lei de Diretrizes e Bases da Educação Nacional (LDBEN, Brasil, 1996), que motiva a construção de um quadro normativo da EaD (Santos, 2009).

Também Santos (2009, p. 3) salienta que devemos "superar o preconceito alimentado historicamente por uma visão distorcida de EaD, em que os cursos por correspondência apresentavam qualidade duvidosa, bem como, [sic] evitar a fraude". A intenção em formar profissionais é acompanhada da garantia em certificar um profissional adequadamente, evitando levar prejuízos à sociedade.

Atenção tem sido delegada à qualidade de um curso ou programa de EaD pelos organismos de controle e avaliação no mundo todo, sendo que, no Brasil, essa preocupação se expressa na publicação, pelo Ministério da Educação (MEC), dos Referenciais de Qualidade para EaD, em julho de 2003. Tais referenciais são acatados como parâmetros pelas instituições que pretendem estruturar cursos ou programas a distância (Lima; Cavalcante, 2009).

Segundo o MEC, viu-se para a primeira versão dos Referenciais de Qualidade para EaD elaborada em 2003 a necessidade de atualização em razão da dinâmica do setor e a renovação da legislação, sendo composta uma comissão de especialistas para sugerir mudanças no documento, em 2007. Essa versão preliminar foi submetida à consulta pública durante o mês de agosto de 2007, e recebidas mais de 150 sugestões e críticas, das quais a maioria foi incorporada, vigorando a versão de 2007 (Brasil, 2007).

Pretendendo apresentar referenciais de qualidade para as instituições que oferecem cursos na modalidade de educação superior a distância no país, o MEC e a Secretaria de Estado da Educação (Seed) elaboraram os Referenciais de Qualidade para Educação Superior a Distância, a fim de propiciar debates e reflexões circunscritos ao ordenamento legal vigente, em complemento às determinações específicas da LDBEN, dos Decretos nº 5.622/2005, 5.773/2006 e Portarias Normativas 1 e 2, de 11 de janeiro de 2007.

Os Referenciais de Qualidade para Educação Superior a Distância são recomendados para projetos de cursos na modalidade a distância e devem compreender categorias que envolvem, fundamentalmente, aspectos pedagógicos, recursos humanos e infraestrutura, dimensões que exigem constar de modo integral no projeto político-pedagógico de um curso na modalidade a distância. Os tópicos principais são os seguintes:

I. Concepção de educação e currículo no processo de ensino e aprendizagem;
II. Sistemas de comunicação;
III. Material didático;
IV. Avaliação;
V. Equipe multidisciplinar;
VI. Infraestrutura de apoio;
VII. Gestão Acadêmico-Administrativa;
VIII. Sustentabilidade financeira (Brasil, 2007).

Integrante desses Referenciais, a alusão aos materiais didáticos é assim registrada: cabe observar que somente a experiência com cursos presenciais não é suficiente para assegurar a qualidade da produção de materiais adequados para a EaD. A produção de material impresso, vídeos, programas televisivos e radiofônicos, videoconferências, CD-ROM, *sites*, objetos de aprendizagem, entre outros, para uso a distância, atende a diferentes lógicas de concepção, produção, linguagem, estudo e controle de tempo.

Para atingir esses objetivos, é necessário que os docentes responsáveis pela produção dos conteúdos trabalhem integrados a uma equipe multidisciplinar, contendo profissionais especialistas em desenho instrucional, diagramação, ilustração, desenvolvimento de páginas *web*, entre outros (Brasil, 2007, p. 13-14).

A ênfase na elaboração dos materiais didáticos para uso a distância pelas instituições deve ser dada quanto à integração de diferentes mídias, bem como de materiais impressos, radiofônicos, televisivos, de informática, de videoconferências e teleconferências, entre outros, e deve primar pela perspectiva da construção do conhecimento, favorecendo a interação entre os múltiplos sujeitos envolvidos no projeto (Brasil, 2007).

O grande diferencial na construção do conhecimento na EaD está nos Materiais Didáticos Impressos (MDI), como fatores que fazem parte de estudos e discussões sobre essa modalidade de educação, a exemplo dos registros de Lemos et al. (2009) e de Palange, Mesquita e Lemos (2009), cuja temática de investigação foi um projeto de EaD com o uso de material impresso do Serviço Nacional de Aprendizagem Industrial (Senai), obtido via publicação de edital da Confederação Nacional da Indústria (CNI).

Esse projeto teve como objetivo a "Iniciação profissional no desenvolvimento de competências transversais nas áreas de Educação Ambiental, Empreendedorismo, Legislação, Segurança no Trabalho e Tecnologia da Informação e Comunicação" (Palange; Mesquita; Lemos, 2009, p. 1).

O público-alvo desse projeto era jovem, com idade entre 14 e 17 anos, sendo o material produzido em diversas linguagens, que incluíram o mangá, o *Report Program Generator* (RPG), *sites,* material impresso e revista de variedades. Sua implantação foi realizada no final de 2008 para 27 mil alunos; a estimativa era atingir cerca de 1 milhão de matrículas até o ano de 2010 (Lemos et al., 2009).

O interesse de Palange, Mesquita e Lemos (2009) pelo MDI deveu-se ao crescente desenvolvimento das tecnologias, fato que fez muitas pessoas considerarem os cursos a distância centrados em material impresso como um recurso superado.

É importante observarmos que a leitura não é um processo natural, pois exige grande complexidade no uso do cérebro para se concretizar. A leitura em tela pode ser útil e prazerosa por permitir o acesso a informações que antes nem poderíamos imaginar, mas ela é bem diferente da leitura em papel nas estratégias que exigem do leitor, já que esse tipo de leitura exige maior concentração e uma postura diferente de quem a lê. Apesar do desenvolvimento de outros suportes para os textos, como os *e-books*, temos de levar em conta que a leitura em papel é muito diferente da leitura em tela. Alguns estudos demonstram que os leitores de páginas *web* são mais voláteis por fazerem uma leitura mais segmentada, parcial e com mudanças frequentes de objeto (Palange; Mesquita; Lemos, 2009, p. 2).

Por isso, é possível pensar que o modelo de comunicação, desde o mais tradicional, pode sofrer variações, com essência nas informações e chegando aos modelos de comunicação dialógicos entre educador, educando e texto (Palange; Mesquita; Lemos, 2009).

Finalizando o estudo sobre essa temática, Lemos et al. (2009, p. 10) concluíram que "O número de matrículas para esta Experiência Piloto foi além do esperado com relação à meta definida. A expectativa de matrículas era de 7000 para cada departamento regional nos 5 cursos e o resultado foi cerca de 8500". Além disso, confirmou-se que a utilização do MDI dos cursos de Competências Transversais é válida pela contribuição à formação integral do profissional, para além da sua área técnica.

3.2
As políticas educacionais e a legislação sobre educação a distância (EaD): aspectos gerais das leis educacionais brasileiras

Entre as ações ocorridas no Brasil, um grande avanço se deu por parte das políticas educacionais que, mesmo tardias, foram sendo construídas ao longo do tempo. A legislação da educação a distância no Brasil consiste na base legal para a modalidade de EaD, tendo sua grande conquista com a LDBEN nº 9.394, de 20 de dezembro de 1996, e depois com sua regulamentação com o Decreto nº 5.622, de 20 de dezembro de 2005. Com essa normatização, altera-se o *status* da EaD, que deixa de ser considerada uma modalidade de ensino inferior às tradicionais. A legitimação da EaD por meio de aspectos legais é um ponto fundamental para derrubar possíveis preconceitos referentes a ela e inserir oficialmente essa modalidade no ensino brasileiro.

Em 2005, o Decreto nº 5.622 regulamentou o art. 80 da LDBEN, que define a caracterização da EaD. Em seu art. 2º, dispõe sobre os níveis e modalidades educacionais desde a educação básica aos níveis diversos da educação superior:

> *Art. 2º A educação a distância poderá ser ofertada nos seguintes níveis e modalidades educacionais:*
> *I - educação básica, nos termos do art. 30 deste Decreto;*
> *II - educação de jovens e adultos, nos termos do art. 37 da Lei nº 9.394, de 20 de dezembro de 1996;*
> *III - educação especial, respeitadas as especificidades legais pertinentes;*

IV - educação profissional, abrangendo os seguintes cursos e programas:
a) técnicos, de nível médio; e
b) tecnológicos, de nível superior;
V - educação superior, abrangendo os seguintes cursos e programas:
a) sequenciais;
b) de graduação;
c) de especialização;
d) de mestrado; e
e) de doutorado. (Brasil, 2005)

Nos demais artigos, são relacionadas as questões de criação, organização, oferta e desenvolvimento de cursos e programas a distância, avaliação do desempenho do estudante para fins de promoção, conclusão de estudos e obtenção de diplomas ou certificados, entre outros assuntos.

Mais proximamente, quando a EaD ficou estabelecida na LDBEN/1996, diferentes opiniões foram publicadas a seu respeito. Sousa (1996, p. 9) lembrou que o crescimento e o desenvolvimento dessa modalidade de educação tiveram maior impulso na década de 1990, paralelo ao surgimento das megauniversidades, em seguimento ao modelo da Universidade Aberta do Reino Unido, criada em 1969 que, em sua percepção, "despertou a atenção dos governos de todo o mundo para a importância da EaD como solução para o enfrentamento da grande pressão social por maior acesso ao ensino superior".

> A legitimação da EaD por meio de aspectos legais é um ponto fundamental para derrubar possíveis preconceitos referentes a ela e inserir oficialmente essa modalidade no ensino brasileiro.

Antes da aprovação da LDBEN/1996, a EaD constava na Lei nº 5.692 de 11 de agosto de 1971, no item que dispunha sobre o ensino supletivo. O art. 25 dispõe "[...] Parágrafo 2º – Os cursos supletivos serão ministrados em classes ou mediante a utilização de rádios, televisão, correspondência e outros meios de comunicação que permitam alcançar o maior número de alunos" (Brasil, 1971).

Conforme descreveu Lobo Neto (2000), os programas desse tipo de educação recebiam pareceres dos conselhos federais e estaduais de Educação, sendo classificados como experimentais e em condições precárias de funcionamento.

Niskier (2009) comenta as inovações trazidas pela LDBEN/1996, em especial alguns trechos a partir do art. 5º, parágrafo 5º, quando o próprio Estado se obriga à tomada de decisão na busca de alternativas à educação, como um desafio aos educadores: "[...] § 5º – Para garantir o cumprimento da obrigatoriedade de ensino, o Poder Público criará formas alternativas de acesso aos diferentes níveis de ensino, independentemente da escolarização anterior" (Brasil, 1996).

Cabe salientar, segundo Alves, J. R. M., (2009, p. 11), que a nova LDBEN, no que diz respeito à EaD,

> *Foi um avanço, uma vez que possibilitou, de maneira inequívoca, o funcionamento dos cursos de graduação e pós-graduação, assim como na educação básica, desde o ensino fundamental ao médio, tanto na modalidade regular, como na de jovens e adultos e na educação especial. A lei teve a grande virtude e [sic] admitir, de maneira indireta, os cursos livres a distância, neles inseridos os ministrados pelas chamadas "universidades corporativas" e outros grupos educativos.*

Os reveses dessa lei, entretanto, ainda residem na relação inversa à hierarquia das normas jurídicas, com a vigência de atos normativos anteriores à LDBEN/1996, resoluções e pareceres incoerentes com essa nova modalidade da educação, incluindo aí a retirada do projeto da Universidade Aberta pelo Executivo do Congresso Nacional, ainda na década de 1970, e não mais retomado pelo Estado (Alves, J. R. M., 2009).

Para Gomes (2009), a legislação brasileira concernente à EaD vem desde a LDBEN, no art. 80, que estabeleceu essa modalidade de educação com abertura e regime especiais. Estes incluíram o credenciamento de instituições pela União, as normas para produção, controle e avaliação de programas e autorização para a sua implementação, sob responsabilidade dos respectivos sistemas de ensino, e o tratamento diferenciado, desde a redução dos custos no rádio e televisão à concessão de canais, cujo objetivo consistia exclusivamente na educação e reserva de tempo mínimo pelos concessionários de canais comerciais.

Em 1998, o Decreto nº 2.494, de 10 de fevereiro, determinou em seu art. 1º o seguinte, *ipsis litteris*:

> *Art. 1º Educação a distância é uma forma de ensino que possibilita a autoaprendizagem, com a mediação de recursos didáticos sistematicamente organizados, apresentados em diferentes suportes de informação, utilizados isoladamente ou combinados, e veiculados pelos diversos meios de comunicação.*
>
> *Parágrafo Único – O cursos ministrados sob a forma de educação a distância serão organizados em regime especial, com flexibilidade de requisitos para admissão, horários e duração, sem prejuízo, quando for o caso, dos objetivos e das diretrizes curriculares fixadas nacionalmente.* (Brasil, 1998)

Segundo o comentário de Gomes (2009), com alusão ao Decreto nº 2.494/1998, houve cautela em sua regulamentação, deixando um dos parágrafos do art. 80 da LDBEN/1996 em suspenso – aquele que se refere ao tratamento diferenciado para a EaD e assim também a questão do mestrado e do doutorado. A ênfase se deu na equiparação entre educação presencial e a distância, sendo condicionada a avaliação do rendimento dos alunos à realização de exames presenciais.

Contudo, o Decreto nº 2.494/1998 teve sua revogação em 19 de novembro de 2005, pelo art. 37 do Decreto nº 5.622. Neste, o art. 1º dá nova redação à EaD e à sua organização metodológica:

> *Art. 1º – Para os fins deste Decreto, caracteriza-se a educação a distância como modalidade educacional na qual a mediação didático-pedagógica nos processos de ensino e aprendizagem ocorre com a utilização de meios e tecnologias de informação e comunicação, com estudantes e professores desenvolvendo atividades educativas em lugares ou tempos diversos.*
>
> *Parágrafo 1º – A educação a distância organiza-se segundo metodologia, gestão e avaliação peculiares, para as quais deverá estar prevista a obrigatoriedade de momentos presenciais para:*
>
> *I - avaliações de estudantes;*
>
> *II - estágios obrigatórios, quando previstos na legislação pertinente;*
>
> *III - defesa de trabalhos de conclusão de curso, quando previstos na legislação pertinente; e*
>
> *IV - atividades relacionadas a laboratórios de ensino, quando for o caso.* (Brasil, 2005)

A opinião de Gomes (2009) sobre essas mudanças estabelecidas é de uma reflexão de desconfiança que marca a história da educação nacional, pois ainda que avance em alguns aspectos, enaltece a preocupação com as regras e os documentos que se fazem necessários aos processos diversos.

Na sequência, o autor reflete que "Talvez fosse melhor afirmar que a EaD é, antes de tudo, educação e, ressalvadas as suas peculiaridades, a ela se aplicam as exigências da educação presencial" (Gomes, 2009, p. 23).

Ao Decreto nº 5.622/2005, segue-se outro marco da EaD brasileira, que é o Decreto nº 5.800, de 8 de junho de 2006, acerca do sistema Universidade Aberta do Brasil (UAB). Esse Decreto determina a criação da UAB e seus objetivos principais no art. 1º:

> *Art. 1º – Fica instituído o Sistema Universidade Aberta do Brasil - UAB, voltado para o desenvolvimento da modalidade de educação a distância, com a finalidade de expandir e interiorizar a oferta de cursos e programas de educação superior no país.*
>
> *Parágrafo único. São objetivos do Sistema UAB:*
>
> *I - oferecer, prioritariamente, cursos de licenciatura e de formação inicial e continuada de professores da educação básica;*
>
> *II - oferecer cursos superiores para capacitação de dirigentes, gestores e trabalhadores em educação básica dos Estados, do Distrito Federal e dos Municípios;*
>
> *III - oferecer cursos superiores nas diferentes áreas do conhecimento;*
>
> *IV - ampliar o acesso à educação superior pública;*
>
> *V - reduzir as desigualdades de oferta de ensino superior entre as diferentes regiões do país;*
>
> *VI - estabelecer amplo sistema nacional de educação superior a distância; e*
>
> *VII - fomentar o desenvolvimento institucional para a modalidade de educação a distância, bem como a pesquisa em metodologias inovadoras de ensino superior apoiadas em tecnologias de informação e comunicação.* (Brasil, 2006)

Alves, J. R. M., (2009) aponta a UAB como um consórcio de instituições públicas de ensino superior que não se caracteriza como aberta, pois não adota os princípios norteadores desse sistema.

A manutenção da UAB contempla um regime de colaboração da União e entes federativos, pela oferta de cursos e programas por instituições públicas de educação superior, com seus objetivos voltados à oferta de cursos de licenciatura e formação inicial de professores da educação básica, capacitação de gestores, dirigentes e trabalhadores em educação básica, cursos superiores e constituição de um amplo sistema de educação superior a distância (Gomes, 2009).

> Reportando-se ao documento que registra a criação da Open University, na Inglaterra, já referida nesta obra e em atividade desde os anos de 1970, Alves, G. M. (2009, p. 12) descreve que o termo *aberta* refere-se à universidade no sentido social, indistintamente, a todas as classes, e à visão pedagógica, porquanto o acesso é permitido de modo geral a indivíduos com mais de 21 anos de idade, e quanto à conotação *aberta*, seria em virtude de que os seus cursos, pelo rádio e pela televisão, estão abertos ao interesse de todos.

O Decreto nº 5.622/2005 – que revogou o Decreto nº 2.494/1998, e o Decreto 2.561 de 27, de abril de 1998 – regulamenta o art. 80 da LDBEN nº 9.394/1996, preconizando, entretanto, a obrigatoriedade de momentos presenciais para avaliações de estudantes entre outras determinações.

A Portaria nº 4.059, de 10 de dezembro de 2004, autorizou às instituições de ensino superior a oferta de disciplinas integrantes do currículo que utilizassem a modalidade semipresencial, desde que não ultrapassassem 20% da carga horária total do curso.

Esse tratamento dado pela legislação educacional à EaD favoreceu a ampliação da oferta de cursos em instituições públicas e privadas, com ênfase para os cursos de licenciatura. Assim, para a formação de professores, a EaD pode ser considerada uma política de Estado, tal a continuidade nos governos Fernando Henrique Cardoso, culminando nos dois governos de Luiz Inácio Lula da Silva.

Depois da aprovação da LDBEN em 1996, aumentou significativamente o credenciamento de instituições para cursos de EaD com a predominância da esfera privada. O número de instituições credenciadas para ofertar cursos de graduação saltou de 2 em 1999 para 104 em 2007. O setor privado é responsável por 59,61% desse cenário (Dourado, 2008).

Com relação ao contexto da aprovação da LDBEN em 1996, no que diz respeito a EaD, é importante recordar que um pouco antes, em 21 de junho de 1995, foi fundada a Associação Brasileira de Educação a Distância (Abed), que, na sua Assembleia Geral, em 1996, aprovou um documento intitulado *I Epístola de São Paulo sobre Educação a Distância*. Nesse texto, está claro o objetivo de adequar a legislação educacional brasileira às características específicas da EaD, eliminando restrições existentes. "O contexto dessa recomendação epistolar foi o debate que precedeu a aprovação da LDBEN pelo Congresso Nacional" (Giolo, 2010, p. 1279).

De acordo com Giolo (2010), em 1998 a Abed produziu a *II Epístola de São Paulo sobre Educação a Distância*, dirigindo as linhas de ação para promover a regulamentação do art. 80 da LDBEN/1996 e a confecção do Plano Nacional de Educação (PNE).

Sobre as posições e as ações da Abed – que se autodefine como uma "sociedade científica, sem fins lucrativos, que tem como finalidades promover o estudo, a pesquisa, o desenvolvimento, a promoção e a divulgação da EaD" ᵉ –, com relação aos encaminhamentos políticos da EaD no Brasil, Giolo (2010, p. 1280) afirma que

> *Compete à Abed aplaudir o poder público quando ele toma posições corretas, mas, também, a assumir seu papel de órgão questionador quando as ações governamentais não forem adequadas. Houve, inclusive, a indicação para que fosse criada pela Abed uma Diretoria de Assuntos Jurídicos para cuidar desses temas. O presidente da entidade reforçou as teses dos associados e anunciou a Carta de Dom Bosco, que "se configurará como um posicionamento da Abed frente às questões políticas que atualmente se apresentam". Com o tempo, a Abed só fez incrementar suas posições. Em 2009, ela publicou um extenso livro:* Educação a Distância: o estado da arte, *organizado pelo seu presidente, Fredric Litto, e pelo vice-presidente Marcos Formiga. Na tradição e na sequência das Epístolas, esse livro bem que poderia ser chamado de* A Bíblia. *À parte as informações de cunho teórico e técnico sobre a Educação a Distância, o livro é também um instrumento de combate político.*

Como se pode notar, o contexto no qual se dá a passagem da EaD da periferia para o centro das políticas educacionais brasileiras é marcado por grandes disputas políticas em nome de interesses econômicos nem sempre revelados.

ᵉ Art. 11 do Estatuto da Associação Brasileira de Educação a Distância (Abed) e art. 11 de seu Regimento. Disponível em: <http://www2.Abed.org.br/Abed.asp>. Acesso em: 22 jul. 2010.

Nesse contexto, coloca-se também a formação de professores, que passou a ocupar um lugar estratégico no cenário das políticas educacionais, sobretudo a partir da década de 1990. A utilização dos recursos da EaD para essa formação, seja inicial, seja continuada, é um fato que vem se consolidando. Como justificativas para essa implementação, destacam-se a democratização da educação e a possibilidade de qualificação de um maior número de professores em menor tempo, o que significa ampliar o atendimento com uma redução enorme de custos.

Considerando a necessidade de equacionar a oferta de educação básica no país, era necessário prover um elemento fundamental para alcançar esse objetivo: os docentes. Assim, são realizadas por parte do Estado as primeiras articulações para implantação de redes de EaD. Em 1995, o Governo Federal criou uma subsecretaria de EaD, no âmbito da Secretaria de Comunicação Social da Presidência da República (Secom), depois incorporada pela Secretaria de Educação a Distância (Seed)[f] do MEC, criada em 1996.

Objetivando a utilização de novas tecnologias para dar suporte à educação básica, portanto, ao ensino presencial, entre 1995 e 1996 implantaram-se a TV Escola, o Programa de Apoio Tecnológico à Escola (PAT) e o Programa Nacional de Informática na Educação (Proinfo). Após esse período, as instituições públicas começaram a oferecer programas de formação de professores, como a formação continuada e, sobretudo, com o objetivo de titular professores leigos. Os incentivos para um maior envolvimento das instituições federais com a EaD vieram de um lado da LDBEN nº 9.394/1996, arts. 62 e

[f] O MEC realizou uma reestruturação em suas secretarias em 2011 e extinguiu a Secretaria de Educação a Distância (Seed), que existia desde o final do mandato de Fernando Henrique Cardoso. No segundo mandato de Lula, a Seed também cedeu à Coordenação de Aperfeiçoamento de Pessoal de Nível Superior (Capes) seu principal projeto, a UAB. Nessa nova reestruturação, os programas da Seed passaram para as demais secretarias, principalmente para a Secretaria de Educação Básica (SEB). Nessa configuração, foram criadas duas novas secretarias, uma para a regulação da educação superior e outra para o relacionamento do MEC com as áreas de educação de estados e municípios. Disponível em: <http://www.acheseucurso.com.br/news/anmviewer.asp?a=364&z=1>. Acesso em: 8 fev. 2011.

87, parágrafo 41, que determinou que a educação básica deve ser ministrada por professores formados em nível de graduação, e, por outro lado, vieram do Fundo de Manutenção e Desenvolvimento do Ensino Fundamental e de Valorização do Magistério (Fundef), que destinou recursos para capacitar professores (Giolo, 2010).

Efetivamente, a criação de órgãos, as instituições envolvidas, os recursos alocados e as parcerias estabelecidas sinalizam a importância que a EaD assumiu nas políticas de formação de professores, entre as quais se destacam:

1. em 2000, a criação da Universidade Virtual Pública do Brasil (Unirede) para a oferta de cursos de graduação e formação de professores;
2. em 2005, o Fórum com as Estatais pela Educação, cujo objetivo foi a criação do sistema UAB para atuação na formação inicial e continuada de professores da educação básica com a utilização de metodologias de educação a distância;
3. em 2006, o Decreto nº 5.800/2006 do MEC, que institui o Sistema UAB, ligada à Capes e em parceria com a Seed;
4. a articulação entre instituições de ensino superior públicas, estados e municípios, na qual a UAB propôs expandir e levar aos interiores do Brasil cursos de educação superior pública, para gestores e trabalhadores em educação básica e apoiar pesquisas sobre EaD;
5. em 2007, foram selecionados 27 polos para atender a 673 turmas e 32.880 vagas;
6. ainda em 2007, essa política de formação a distância de professores foi fortalecida com a atribuição à Capes, à coordenação do Sistema Nacional de Formação e ao Instituto Nacional de Estudos e Pesquisas Educacionais

Anísio Teixeira (Inep) do papel de acompanhamento, e ao Fundo Nacional de Desenvolvimento da Educação (FNDE) de financiamento, sobretudo para a formação de professores;

7. afinal, o governo, em lugar de ser preferencialmente avaliador, passou a ser o promotor da EaD. Desde então, a formação de professores pela EaD expandiu-se e tem sido apoiada por muitos e rejeitada por outros tantos.

As razões para essa mudança, que traz a EaD para o centro das políticas educacionais, estão ligadas a compromissos assumidos em conferências mundiais, levadas a cabo no conjunto da reforma do Estado[g] e influenciadas por decisões de organismos mundiais[h].

A reflexão sobre as recomendações e princípios orientadores das políticas exaradas por alguns desses organismos, sobretudo visando à expansão da EaD, nos países com déficits educacionais, entre os quais se inclui o Brasil, é o que nos ocupará no tópico a seguir.

[g]

O Estado brasileiro passou por uma profunda reforma, sobretudo no segundo mandato do Governo Fernando Henrique Cardoso. As políticas sociais, entre elas as relacionadas à educação e à formação de professores, foram consideradas explicitamente serviços não exclusivos do Estado. Um conjunto de leis, pareceres, resoluções e decretos foram definindo, controlando e desonerando o Estado da formação de professores, de acordo com decisões tomadas e grandes conferências mundiais (Pereira; Peixoto; Fornalski, 2010, p. 197-198).

[h]

Convocada pela Organização das Nações Unidas para a Educação, a Ciência e a Cultura (Unesco), pelo Fundo das Nações Unidas para a Infância (Unicef), pelo Programa das Nações Unidas para o Desenvolvimento (Pnud) e pelo Banco Mundial (BM), foi realizada em Jomtien, na Tailândia, em 1990, a Conferência Mundial sobre Educação para Todos, que proclamou a Declaração Mundial sobre Educação para Todos. O Brasil, assim como outros países com os maiores déficits no atendimento à escolarização obrigatória, como a Indonésia, o México, a China, o Paquistão, a Índia, a Nigéria, o Egito e Bangladesh, assumiu compromissos e desenvolveu um Plano Decenal de Educação para Todos, que se transformou depois no Plano Nacional de Educação para Todos (1993--2003) (Giolo, 2010).

3.3
Organismos internacionais e as políticas de expansão da educação a distância (EaD)

No que tange à educação superior, em que se colocam as licenciaturas para a formação de professores, é preciso destacar os documentos exarados principalmente por duas organizações mundiais: o BM e a Unesco[i].

> [i] Foram compostas logo após a Segunda Guerra Mundial com o propósito de contribuírem para construção da paz mundial.

Nessas duas últimas décadas, tem-se cumprido no Brasil, apesar das últimas políticas do Governo Lula de expansão das universidades federais, as orientações do BM para o ensino superior, reforçadas pelas posições da Organização Mundial do Comércio (OMC):

1. a privatização da educação superior; e
2. a anulação da gratuidade do ensino superior, por meio da cobrança de matrículas.

A primeira política (de privatização) fica clara quando consideramos que 73% das matrículas e 90% das instituições de ensino superior são privadas. A segunda pode ser constatada pela crescente parceria entre universidades públicas e empresas – as redes –, de maneira que aquelas prestam serviços a estas, e também pela cobrança de taxas aos estudantes em cursos e atividades complementares.

Assim, pensar na formação de professores a distância implica analisar que se trata de transferir aos futuros professores os encargos da sua educação. No entanto, a educação é uma práxis histórica e social. Pensá-la como processo realizado por indivíduos isolados é descaracterizá-la, é recorrer à ficção, como na crítica de Marx (1982, p. 3) às robinsonadas[j] do século XVIII.

A demanda e incentivo por ensino superior também é uma realidade. No preâmbulo da Declaração Mundial sobre o Ensino Superior no Século XXI, de 1998, salienta-se que "En los albores del nuevo siglo, se observan una demanda de educación superior sin precedentes, acompañada de una gran diversificación de la misma" (Unesco, 1998).

No art. 8º da mesma declaração, aponta-se o progresso social e a democratização a se alcançar com a EaD:

> *crear nuevos entornos pedagógicos, que van desde los servicios de educación a distancia hasta los establecimientos y sistemas "virtuales" de enseñanza superior, capaces de salvar las distancias y establecer sistemas de educación de alta calidad, favoreciendo así el progreso social y económico y la democratización así como otras prioridades sociales importantes; [...].* (Unesco, 1998)

Temos, aqui, um dos princípios mais evocados quando se propõe ampliar o acesso à educação superior por meio do uso de novas tecnologias[k]: a democracia. Podemos inferir que a democratização seria proporcionada pelos serviços educativos ofertados virtualmente a distância. No entanto, como

[j]

Robinson Crusoé é um romance escrito por Daniel Defoe, publicado originalmente em 1719, no Reino Unido. A obra relata a história fictícia de um personagem, um náufrago, que passou 28 anos em uma ilha.

[k]

Marx ressalta que é a tecnologia, e não a natureza, quem tem importância fundamental: "A natureza não fabrica máquinas, locomotivas, ferrovias, telégrafo elétrico, máquina de fiar automática etc. Tais coisas são produtos da indústria humana; material transformado em órgãos da vontade humana que se exerce sobre a natureza. São órgãos do cérebro humano, criados pela mão humana: o poder do conhecimento objetificado" (Gundrisse, citado por Bottomore, 2001, p. 371). A história da tecnologia é a história da mutável relação de forças de classe. "Seria possível escrever toda uma história das invenções desde 1830 com o único objetivo de fornecer armas ao capital contra as revoltas da classe operária (Marx, citado por Bottomore, 2001, p. 371).

afirmam Brito e Purificação (2008, p. 26), se a melhoria da qualidade na educação "dependesse somente de tecnologias, já teríamos encontrado as soluções há muito tempo".

Ainda no discurso da Declaração Mundial sobre a Educação Superior, fica clara a necessidade de elaborar uma política enérgica de formação de pessoal e a convocação aos docentes para que promovam a autonomia dos alunos:

> *Un elemento esencial para las instituciones de enseñanza superior es una enérgica política de formación del personal. Se deberían establecer directrices claras sobre los docentes de la Educación Superior, que deberían ocuparse sobre todo, hoy en día, de enseñar a sus alumnos a aprender y a tomar iniciativas, y no a ser, únicamente, pozos de ciência. Deberían tomarse medidas adecuadas en materia de investigación, así como de actualización y mejora de sus competencias pedagógicas mediante programas adecuados de formación del personal, que estimulen la innovación permanente en los planes de estudio y los métodos de enseñanza y aprendizaje, y que aseguren condiciones profesionales y financieras apropiadas a los docentes a fin de garantizar la excelencia de la investigación y la enseñanza, y en las que queden reflejadas las disposiciones de la Recomendación relativa a la condición del personal docente de la enseñanza superior aprobada por la Conferencia General de la UNESCO en noviembre de 1997.* (Unesco, 1998)

Evoca-se o princípio da autonomia como forma de promover a busca pelo conhecimento, o que se apresenta de forma coerente com o que já propunha o Relatório Delors, de 1996, com o **aprender a aprender**.

Já no documento do BM, – *La Educación Superior em los Países em Desarollo: peligros y promesas* –, defende-se a necessidade de ampliar o atendimento à demanda e melhorar a qualidade da educação superior como condição para que os países em desenvolvimento participem da economia mundial.

> *Sobre la base de investigaciones e intensos debates que se llevaron a cabo durante dos años, el Grupo ha llegado a la conclusión de que si no se imparte más educación superior y cada vez de mejor calidad, a los países en desarrollo les será cada vez más y más difícil beneficiarse de la economía mundial basada en el conocimiento.* (Grupo Especial..., 2000, p. 11)

Percebe-se que, já de início, esse documento evoca o fato de a economia mundial estar baseada no conhecimento e que, portanto, ter acesso a tal conhecimento é condição para dela beneficiar-se. Nesse sentido, o documento segue argumentando sobre a necessidade de democratizar o acesso ao conhecimento e enfatiza o papel da educação superior na preparação das pessoas necessárias para dirigir uma sociedade moderna e contribuir para o seu progresso. No entanto, o mesmo documento não deixa de salientar que são necessárias ações criativas e conscientes que tenham como base uma nova visão de ensino superior, mais bem planejado e gerido.

De acordo com o parecer do Grupo Especial... (2000, p. 12-13), todos os setores da sociedade precisam colaborar, já que um sistema apenas estatal não será adequado para concretizar a expansão necessária com vistas à democratização da educação superior. Propõe-se um modelo de financiamento misto – diversificação horizontal – para que a participação de recursos privados seja máxima, de modo a proporcionar uma expansão com pouco ou nenhum financiamento público.

É proposta também a diversificação vertical, ou seja, aquela que contempla vários tipos de instituições para a oferta de ensino superior. E é nesse ponto que se destaca a EaD, como um exemplo de diferenciação que se dá tanto em sentido vertical como horizontal.

> *La diferenciación puede darse también en sentido horizontal, merced a la creación de establecimientos manejados por agentes privados, tales como instituciones con fines de lucro, organizaciones filantrópicas u otras entidades sin fines de lucro, como asimismo, agrupaciones religiosas. El auge del aprendizaje a distancia, modalidad que cobra cada vez mayor importancia, es otro ejemplo de diferenciación, que se da tanto em sentido vertical como horizontal.* (Grupo Especial..., 2000, p. 32)

Na forma como aparece contemplada nesse documento, a EaD é considerada como um exemplo de diferenciação que vai diretamente ao encontro com o que se propõe de uma forma geral para educação superior, ou seja, uma diversificação tanto horizontal quanto vertical, como dito anteriormente.

Para Dias (2004), o BM compreende a educação como investimento, não como direito social, por isso considera necessário, primeiramente, reduzir seus custos. Sugeriu-se ampliar o coeficiente professor-aluno, e a EaD aparece como uma estratégia muito adequada nesse sentido. Assim, não parece estranho que se proponha ainda o apoio ao ensino e ao financiamento privado e, também, que se confie a grupos particulares a gestão da produção e a distribuição dos textos escolares.

Essa tendência de privatização da educação superior no Brasil, apesar das políticas dos últimos anos do Governo Lula de expansão das universidades e institutos tecnológicos, não sofreu alteração, pelo contrário, vem se firmando com a demanda por parte de grupos sociais e políticas fomentadoras de bolsas e financiamento dos "serviços educativos"[1]. Nesse

---

[1] Um exemplo muito significativo é o Programa Universidade para Todos (ProUni).

cenário, a ampliação da oferta de cursos, sobretudo na modalidade a distância, é uma realidade.

Na graduação a distância, 115 instituições ofereceram 647 cursos em 2008. As matrículas na modalidade EaD aumentaram 96,9% em relação ao ano anterior e, em 2008, passaram a representar 14,3% do total de matrículas no ensino superior. Além disso, o número de concluintes em EaD cresceu 135% em 2008, comparado a 2007, conforme nos mostra a tabela a seguir:

Tabela 3.1 – Evolução do número de ingressos, matrículas e concluintes na educação a distância (EaD) no Brasil, de 2002 a 2008

Ano	Ingressos	%Δ	Matrículas	%Δ	Concluintes	%Δ
2002	20.685	-	40.714	-	1.712	-
2003	14.233	-31,2	49.911	22,6	4.005	133,9
2004	25.006	75,7	59.611	19,4	6.746	68,4
2005	127.014	407,9	114.642	92,3	12.626	87,2
2006	212.246	67,1	207.206	80,7	25.804	104,4
2007	302.525	42,5	369.766	78,5	29.812	15,5
2008	430.259	42,2	727.961	96,9	70.068	135,0

Fonte: Adaptado de Brasil, 2009.

Desse total de matrículas na EaD em 2008, 46,9% se referem a cursos de licenciatura, como demonstra a Tabela 3.2:

Tabela 3.2 – Número de matrículas em cursos de graduação a distância, por grau acadêmico, segundo a categoria administrativa no Brasil, em 2008

Grau acadêmico	Total		Pública								Privada	
			Total		Federal		Estadual		Municipal			
Total	727.961	100	278.988	100	55.218	100	219.940	100	3.830	100	448.973	100
Tecnológico	127.619	17,5	22.430	1,6	4.376	28,2	15.562	7,1	2.492	65,1	105.189	23,4
Bacharelado	255.467	35,1	155.066	49,9	13.623	255,1	140.883	64,1	560	14,6	100.401	22,4
Licenciatura	341.118	46,9	101.492	13,3	37.219	115,0	63.495	28,9	778	20,3	239.626	53,4
Bach./licenciatura	3.757	0,5	0	0,0	0	0,0	0	0,0	0	0,0	3.757	0,8

Fonte: Adaptado de Brasil, 2009.

Seguindo essa tendência, uma análise dos dados do censo da Abed, de 2009, remete-nos a considerar que 41% da educação superior se desenvolve somente pela EaD ou associada com a educação presencial, se consideramos os 20% dos cursos ofertados na modalidade a distância, conforme a Portaria nº 2.253/2001.

Como podemos notar, a oferta da formação de professores na modalidade a distância tem crescido significativamente nos últimos anos. De acordo com Dourado (2008, p. 901), já em 2006, de um total geral de 818.580 vagas oferecidas para cursos na modalidade a distância, 524.096 foram para educação, portanto 64,02%, sendo 18.912 em instituições públicas e 505.184 pelo setor privado.

Esses dados indicam que o processo de expansão de vagas em cursos a distância vem ocorrendo com grande centralidade na área de educação e com predomínio da esfera privada.

Recentemente, o resumo técnico do Censo da Educação Superior de 2009, publicado pelo Inep, destaca que 50% dos cursos ofertados na modalidade a distância são de licenciatura, entre os quais o curso de pedagogia aparece em primeiro lugar, com 286 mil matrículas (Brasil, 2010).

Os dados apontam, ainda, que os dois cursos mais escolhidos – Pedagogia e Administração – detêm 61,5% do total de matrículas (Inep, 2010).

Os dados que voce verificará na Tabela 3.3 revelam que a EaD ocupa uma posição de destaque na formação inicial de professores no Brasil. Convém salientar que a autorização, avaliação, credenciamento de instituições e reconhecimento de cursos depende dos órgãos competentes e que, portanto, não se pode falar apenas de uma tendência do mercado ou de uma consequência direta

Tabela 3.3 – Os 5 maiores cursos em número de matrículas na modalidade EaD no Brasil

	Curso	Matrículas	%
	Total	838.125	100%
1	Pedagogia	286.771	34,2%
2	Administração	228.503	27,3%
3	Serviço Social e orientação	68.055	8,1%
4	Letras	49.749	5,9%
5	Ciências contábeis	29.944	3,6%
	Outros cursos	175.103	20,9%

Fonte: Brasil, 2010.

da evolução tecnológica para atender a uma necessidade atual de formação de professores. A concentração de matrículas[m] em EaD na área das licenciaturas no Brasil está ligada a fatores e estratégias políticas em que o Estado desempenha um papel fundamental.

Em um contexto mundial de progressiva reafirmação estratégica da centralidade da educação (Shiroma; Moraes; Evangelista, 2002), a EaD passa a fazer parte das políticas públicas que orientam as práticas pedagógicas, recursos e estratégias em escala mundial. Desse modo, as iniciativas para o desenvolvimento da EaD em nosso país extrapolam o âmbito dos municípios, estados e mesmo da Federação, pois estão orientadas por políticas mundiais ligadas a interesses de organismos internacionais.

[m] É importante considerar aqui, também, o crescimento da EaD *on-line*, cuja disseminação no Brasil muito se deve, além do avanço tecnológico, aos incentivos das autoridades públicas. "Hoje, diferentemente do que ocorria há apenas uma década, não é mais possível desconsiderar o impacto que a introdução da EaD *on-line* causou e as transformações que certamente ainda ocasionará em nossas formas correntes de conceber e de praticar a educação e a comunicação" (Bohadana; Valle, 2009, p. 551-552).

Essa progressiva introdução da EaD é notável principalmente no ensino superior com ênfase na formação inicial e continuada de professores, que se apresenta como uma tendência hegemônica e é acompanhada por políticas públicas do MEC, em que são características as parcerias entre as instituições de ensino superior públicas e a atribuição de importante protagonismo à Capes, ao Inep e à Seed nesse processo.

Portanto, temos a existência de defensores e oponentes dessa tendência, e é preciso considerar que a formação de professores pela EaD está circunscrita em um contexto balizado por interesses políticos e econômicos nacionais e internacionais, dos quais não se pode esquecer ao tratar-se do tema.

> **pare e pense**
>
> Não seria a EaD mais um produto da indústria cultural, como descreve Adorno (1995, citado por Zuin; Pucci; Oliveira, 2001), calcada na ilusão de que a massificação da cultura realmente possibilita a emancipação coletiva?

Para Adorno (1995, citado por Zuin; Pucci; Oliveira, 2001, p. 138), "A educação seria impotente e ideológica se ignorasse o objetivo de adaptação e não preparasse os homens para se orientarem no mundo". Mas ela seria igualmente questionável se fosse apenas isso. Assim, diante de uma realidade em que se impõe a necessidade de adaptação, na qual uma exacerbada indústria cultural impõe um conformismo onipresente, a educação tem muito mais a tarefa de fortalecer a resistência do que a adaptação (Zuin; Pucci; Oliveira, 2001).

Os pesquisadores estão atentos a essa realidade, e a pesquisa educacional não se coloca em um campo alheio à realidade, mas passa a tratar de situações concretas que demandam atenção, impõem questionamentos e exigem explicações.

No que diz respeito à pesquisa relacionada à formação de professores por meio da EaD, uma consulta ao banco de teses da Capes, utilizando as categorias **formação de professores** e **educação a distância**, entre 1996 e 2009, evidencia essa constatação:

Gráfico 3.1 – Teses e dissertações sobre formação de professores em educação a distância (EaD) – banco da Capes

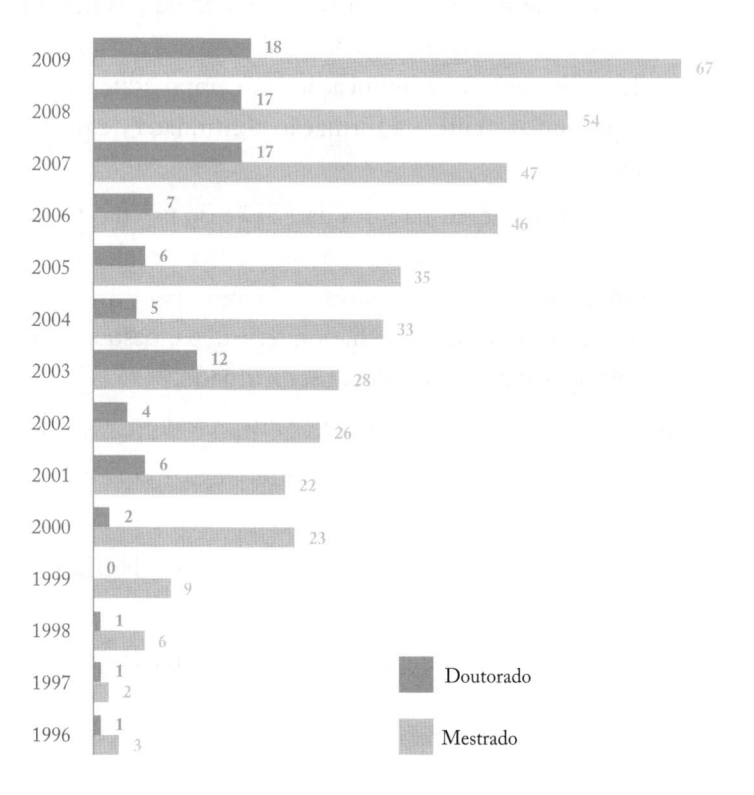

Ano	Doutorado	Mestrado
2009	18	67
2008	17	54
2007	17	47
2006	7	46
2005	6	35
2004	5	33
2003	12	28
2002	4	26
2001	6	22
2000	2	23
1999	0	9
1998	1	6
1997	1	2
1996	1	3

Fonte: Lopes, 2011, p. 74.

A análise dos resumos das teses e dissertações que compõem o Gráfico 3.1, produzidas sobretudo a partir de 2005, permite perceber que:

1. nos últimos cinco anos, o número de teses e dissertações nessa área multiplicou-se intensamente; se, em 2005, a busca mostra 35 dissertações, em 2009, esse número sobe para 67, o que significa que a produção praticamente dobrou. Também em relação às teses, se em 2005 a consulta mostra apenas 6 trabalhos, em 2009 já temos 18. Portanto, a produção triplicou;
2. as pesquisas tendem a concentrar-se na investigação de programas estaduais e federais para formação continuada de professores da rede pública de ensino fundamental, bem como na análise do uso das tecnologias de informação e comunicação no campo educacional e, particularmente, na formação continuada de professores;
3. há discursos legitimadores da EaD e do uso das tecnologias de informação e comunicação como elementos fundamentais de uma nova pedagogia para um novo professor do futuro, mediador, reflexivo e pesquisador; portanto, para tal, ele dever ser formado.

Com base nos dados apresentados, é possível afirmar que, entre os motivos para o grande crescimento e expansão da EaD a partir dos anos de 1990 no Brasil, e principalmente para a concentração de matrículas em cursos de licenciatura, evidencia-se a presença dos **pressupostos neoliberais que adentram no terreno educacional**, fazendo dele um grande nicho de mercado que continuamente se renova.

Síntese

Analisamos neste capítulo os fundamentos da EaD e, nesse sentido, enfatizamos a importância de compreender essa modalidade de educação em um horizonte mais amplo, para que as reflexões e estudos sejam centrados nos fundamentos da educação, pois existem diferentes caminhos de construção da EaD vinculada à sua teoria, à prática educativa e à práxis pedagógica social.

A EaD não pode se vista como um "hiato" no campo educacional, ou como uma modalidade oposta à presencial. Como práxis social, na medida em que implica ação real, a EaD objetiva uma realidade humana na qual o ser humano é sujeito e objeto dela. Assim, o critério para analisar uma proposta de EaD está mais na concepção didático-pedagógica do que subjaz, tanto ao suporte tecnológico utilizado como à sua utilização na mediação. Quanto ao aspecto das políticas e da legislação educacional pertinente à EaD, salientou-se que a legitimação desta, por meio de instrumentos legais, é um elemento fundamental para superação de preconceitos na inserção oficial e plena dessa modalidade no sistema educacional brasileiro. Nesse contexto, destacamos também a formação de professores que, a partir da década de 1990, passou a ocupar um lugar estratégico no cenário das políticas educacionais, com a presença marcante da EaD na formação inicial e continuada desses profissionais.

Indicações culturais

Documentário

A VERDADEIRA história da internet. Direção: Discovery Channel. EUA: Discovery Channel, 2008. 45 min. Disponível em: <http://www.manfred.com.br/index.php/redes-e-internet/107-aula-01-resenha-do-video-a-verdadeira-historia--da-internet>. Acesso em: 19 set. 2012.

Esse documentário em série, produzido pelo Discovery Channel, procura mostrar a revolução tecnológica, cultural, comercial e social provocada pela internet. São quatro episódios: "A Guerra dos Navegadores", "A Pesquisa", "A Bolha" e "O Poder das Pessoas". É excelente para discutir sobre o uso das tecnologias, as transformações ocorridas e suas implicações na atualidade.

Filme

PIRATAS da informática. Direção: Martyn Burke. EUA: Warner Home Video, 1999. 97 min.

Esse filme mostra como surgiram as empresas Microsoft e Apple na década de 1970. Ótimo para discussão em sala de aula sobre as implicações do uso da tecnologia na vida cotidiana.

Livros

PRETI, O. (Org.). Educação a distância: sobre discursos e práticas. Brasília: Liber Livro, 2005.

Essa obra apresenta um conjunto de pesquisas, reflexões e descrições de práticas educativas inovadoras. Contando com as contribuições de diversos autores e focalizando temas como a formação de professores na modalidade a distância, a autonomia do estudante e a avaliação, o livro traz excelentes reflexões para a compreensão mais aprofundada e crítica da EaD e sua aplicação na formação inicial e continuada de professores.

LITTO, F. M.; FORMIGA, M. (Org.). Educação a distância: o estado da arte. São Paulo: Pearson Education do Brasil, 2009. v. 2.

Essa obra complementa os estudos apresentados no volume 1 (que tem o mesmo título). Esse novo volume traz uma pluralidade de assuntos e autores, colocando o leitor em contato com as diferentes perspectivas atuais de EaD.

Site

REVISTA BRASILEIRA DE APRENDIZAGEM ABERTA E A DISTÂNCIA.
Disponível em: <http://www.abed.org.br/revistacientifica/_brazilian>. Acesso em: 15 nov. 2012.

A RBAAD é um jornal eletrônico interativo que focaliza a pesquisa, o desenvolvimento e a prática da educação a distância em todos os níveis. Como uma esfera interacional, é uma excelente indicação para pesquisas na área de EaD.

Atividades de autoavaliação

1. No que diz respeito aos conceitos de EaD, com base nas considerações de Guarezi e Matos (2009) citadas neste capítulo, analise as afirmações a seguir e assinale a alternativa correta:

    a) São elaborados com base nas atividades que os alunos desenvolvem nos cursos realizados, desde que o número de alunos não seja inferior a 5 mil matrículas.

b) São construídos com base nos referenciais teóricos desenvolvidos na década de 1970, por isso possuem uma grande defasagem e não são apropriados para aplicação atualmente.

c) Têm em comum a separação física entre o professor e o aluno e a existência de tecnologias para mediatizar a comunicação e o processo de ensino-aprendizagem.

d) São conceitos abstratos e muito distantes do que é realmente a realidade da EaD, principalmente no contexto brasileiro em que ela é muito utilizada.

2. Assinale a alternativa que responde corretamente a seguinte questão: O significa dizer que a EaD é uma práxis social?

a) Que ela é, acima de tudo, uma prática possível pelo uso de tecnologias de comunicação e informação.

b) Que a EaD é uma prática na qual o ser humano é objeto de ensino e aprendizagem.

c) Que a EaD é práxis social porque toma como objeto não um indivíduo isolado, mas grupos.

d) Que a EaD é, acima de tudo, um constructo teórico elaborado com base nos conceitos das mais avançadas tecnologias.

3. Com relação aos fundamentos didático-pedagógicos da EaD, é correto afirmar que:

I. O critério para analisar uma proposta de EaD está unicamente na mediação pedagógica.

II. As concepções didático-pedagógicas, aliadas aos suportes pedagógicos, permitem que a EaD atinja o objetivo de construir o conhecimento.

III. A concepção didático-pedagógica adotada é fundamental para fazermos a análise de uma proposta de EaD.

IV. A única maneira de fazer a EaD melhorar é utilizando novos recursos tecnológicos atualizados.

Estão corretas somente as proposições:
a) I e II.
b) II e III.
c) III e IV.
d) I e IV.

4. Sobre o significado de *aprendizagem colaborativa*, analise as proposições a seguir e marque (V) para as verdadeiras e (F) para as falsas. Em seguida, assinale a alternativa que apresenta a sequência correta.

( ) Requer o desenvolvimento de habilidades, por parte do professor e do aluno.

( ) Não é indicada para processos relacionados à EaD e outros similares.

( ) É uma das formas de construir conhecimento, seja de forma presencial, seja em ambiente virtual.

( ) Exige a participação comprometida de todos os atores envolvidos.

a) V, V, F, F.
b) F, F, V, V.
c) V, F, V, V.
d) V, F, V, F.

5. No que diz respeito à legislação educacional brasileira sobre a EaD, assinale a alternativa correta:

a) Aponta a EaD como ideal para promover a educação infantil e o ensino fundamental.

b) Proíbe a adoção da EaD no ensino médio, principalmente porque os cursos precisam de atividades práticas em laboratório.

c) Exige a oferta de cursos em ao menos três horários diferentes para que os alunos possam participar das aulas.

d) Garante para a EaD o *status* de modalidade educacional plenamente integrada ao sistema de ensino brasileiro.

Atividades de aprendizagem

Questões para reflexão

1. Reflita sobre a seguinte afirmação: Ao se falar de EaD, é necessário "não centrar o foco na 'distância', e sim nos processos formativos da Educação, fazendo recurso a abordagens contextualizadas, situadas, críticas e libertadoras da Educação" (Preti, 2002, p. 29). Agora, elabore um conceito de EaD com base no que você compreendeu.

2. Após a leitura atenta deste capítulo, como você compreende a expressão "O *que* e o *quem* da EaD"? Sintetize suas ideias em um texto breve.

Atividade aplicada: prática

1. Acesse o *site* da Associação Brasileira de Educação a Distância (Abed), conheça detalhes sobre a legislação em EaD no Brasil e elabore uma síntese dos pontos principais.

O documento para a resolução deste exercício poderá ser encontrado em: <http://www2.abed.org.br/documentos/ArquivoDocumento640.pdf>.

Essa atividade objetiva proporcionar a você uma visão mais ampliada da legislação sobre EaD no Brasil e uma maior percepção de quais são os elementos mais importantes, como o art. 80 da LDBEN/1996, o Decreto nº 5.622/2005 e os Referenciais de Qualidade para EaD, de 2007. Salientamos ainda a importância de conhecer as normatizações separadas por estado, como apresenta o documento disponibilizado no *site* da Abed.

4.

Autonomia e ética na educação a distância (EaD)

Iniciando o diálogo

Este capítulo tem por objetivo analisar a importância da autonomia, baseada no comportamento ético como elemento indispensável aos docentes e discentes de educação a distância (EaD). Essa análise é fundamental considerando o objetivo nesta obra, que é compreender o *que* e o *quem* da EaD.

Quando se fala em EaD, logo pensa-se em

recursos tecnológicos e suas facilidades com inúmeras ferramentas que podem colaborar ou prejudicar o processo de ensino--aprendizagem. Dessa forma, busca-se refletir sobre o comportamento de alunos e professores em face dessas ações, tendo como referência pressupostos éticos em busca da autonomia. Autonomia, ética e EaD são apresentados nesta obra como temas que possuem uma relação essencial.

Contudo, é preciso distinguir **disciplina** de **autonomia**, como apresentam diversos pesquisadores, pois disciplina não é um fim em si mesmo, mas um elemento produtor de autodisciplina, na qualidade de manifestação de autonomia do sujeito como pessoa livre e, por isso, responsável.

Não se pode confundir **autonomia** com **liberdade**. Quando se fala da autonomia e da autenticidade ética na EaD, é necessário lembrar que essas são características que precisam ser a marca de docentes e discentes.

Com base nessas reflexões, a autonomia conecta-se ao perfil do aluno de EaD nos mais diversos cursos, do qual é exigida essa autodisciplina como manifestação da sua liberdade, num ambiente determinado por uma ética comportamental específica. Parte-se, portanto, do princípio de que a autonomia é um dos eixos de fundamental importância para alunos e professores nessa modalidade de educação, corroborada pelo comportamento ético responsável.

> A autonomia é um dos eixos de fundamental importância para alunos e professores nessa modalidade de educação, corroborada pelo comportamento ético responsável.

Como já se afirmou, no Brasil, ao final da década de 1990, a EaD começou a sair da periferia das políticas educacionais. Com o Governo Lula, ela adquiriu centralidade no cenário educacional, especialmente no nível médio e na educação profissionalizante e superior, com destaque para a formação inicial e continuada dos professores. Também a pesquisa sobre EaD tem crescido significativamente nos últimos anos.

> Nesse sentido, a categoria *autonomia* mostra-se recorrente, já que na EaD é muito acentuada a capacidade do estudante para determinar os objetivos de sua aprendizagem. Ou seja, o aluno determina o seu tempo, quando, o que e como estudar. No entanto, se, por um lado, a EaD exige mais autonomia, autogestão, autoestudo, auto-organização, autonomização, autoditatismo, por outro, ela também carrega o risco de não alcançar seus objetivos pela falta da presença física do professor, que dialoga, motiva, esclarece, emancipa e traça relações ético-políticas.

Neste capítulo, procuramos explicitar como a EaD envolve um processo educacional que precisa articular dois componentes essenciais: a autonomia e a ética, como características marcantes de todos os sujeitos da EaD.

4.1
Explorando o conceito de *autonomia*

Nesta seção, serão apresentadas algumas notas sobre o conceito de *autonomia* que ajudarão a demonstrar a sua importância para o processo educativo em cursos de EaD.

Autonomia é um termo que vem do grego (αυτονομία) e significa a capacidade de fazer as próprias escolhas, tomar as próprias decisões sem influências ou condicionamentos externos (Houaiss; Villar, 2009). Trata-se, portanto, da capacidade de o indivíduo dar a si mesmo a sua própria lei. Quando é autônomo, o sujeito age por si mesmo e não coagido por uma razão externa, "Tem consideração pelos outros sem subordinar-se ou submeter-se a eles cegamente, responde pelo que faz, julga suas próprias intenções e recusa a violência contra si e contra os outros. Numa palavra é autônomo" (Chaui, 1995, p. 338).

Para Immanuel Kant (1724-1804), que viveu em Königsberg e definiu sua época como de esclarecimento, a autonomia designa a independência da vontade em relação a qualquer desejo ou objeto de desejo, e sua capacidade de determinar-se em conformidade com uma lei própria, que é a da razão (Abbagnano, 2000, p. 97). Kant demonstra que a razão pura se manifesta em nós como realmente prática pela autonomia no princípio da moralidade, pela qual determina a vontade ao ato (Kant, 2006, p. 60). Desse modo, o indivíduo é capaz de decidir por si mesmo em conformidade com a sua razão. A heteronomia[a] é o seu contraposto, na qual a vontade é determinada pelos objetos da faculdade de desejar (Abbagnano, 2000, p. 97).

[a] Aquele que tem o poder de dar a si mesmo a regra, a norma, a lei, é autônomo e goza de autonomia ou liberdade. *Autonomia* significa *autodeterminação*. Quem não tem a capacidade racional para a autonomia é heterônomo. Heterônomo vem do grego *hetero* (outro), e *nomos*, que significa "receber de um outro a norma, a regra, a lei" (Chaui, 1995, p. 338).

Essa oposição entre princípios heterônomos e autônomos persiste em toda a filosofia moral de Kant. Uma vontade autônoma concede lei a si própria, ao passo que em uma vontade heterônoma a lei é dada pelo objeto pela sua relação com a vontade. "Isso significa que a vontade deve querer sua própria autonomia e que a sua liberdade reside em ser, portanto, uma lei para si mesma" (Caygill, 2000, p. 43). Assim, o filósofo enuncia a lei fundamental da razão prática, que pode ser considerada o princípio da autonomia: "Age de tal modo que a máxima de tua vontade possa sempre valer ao mesmo tempo como princípio de uma legislação universal" (Kant, 2006, p. 47). Portanto, o princípio autônomo do imperativo categórico comanda sua própria autonomia (Caygill, 2000, p. 43).

Kant desejava libertar o ser humano de sua menoridade, que é não pensar por si mesmo. Esse empreendimento seria alcançado por meio do esclarecimento, do uso da razão. Ele mesmo define sua época como de esclarecimento, entendido como "a saída do homem da menoridade pela qual é o próprio culpado. Menoridade é a incapacidade de servir-se do próprio entendimento sem direção alheia" (Kant, 2006, p. 407). Ele ainda propõe uma educação para autonomia que desenvolva as capacidades dos educandos, para que busquem atingir as metas por eles mesmos colocadas.

Apesar de sistematicamente criticada desde Hegel e, em particular, por Nietzsche e Scheler, como uma concepção vazia, formalista e irrelevante, a explicitação kantiana de autonomia foi recentemente reavaliada e defendida por O'Neill (1989), como fornecendo uma adequada base metodológica para o raciocínio teórico e prático (Caygill, 2000, p. 43).

Como você pôde notar, a palavra *autonomia*, a partir de sua origem grega e no pensamento kantiano, significa autogoverno, governar a si próprio. Nesse sentido, uma escola autônoma é aquela que governa a si própria. No âmbito da educação, o debate moderno em torno do tema remonta ao processo dialógico de ensinar contido na filosofia grega, que preconizava a capacidade do educando de buscar respostas às suas próprias perguntas, exercitando, portanto, sua formação autônoma.

> Ao longo dos séculos, a ideia de uma educação antiautoritária vai gradativamente construindo a noção de autonomia dos alunos e da escola, muitas vezes compreendida como autogoverno, autodeterminação, autoformação e autogestão. Contudo, para compreender o termo *autonomia* proposto nesta obra, faremos um caminho indicado por Araújo (1996, p. 104), com base nos estudos de Piaget sobre o juízo moral, que nos apresenta o seguinte itinerário: **anomia** e **heteronomia** em direção à **autonomia**.

O sufixo grego *nomia* (regras) é comum aos três termos. **Anomia** (*a + nomia*, em que o prefixo *a* refere-se à negação) é um estado de ausência de regras, ou seja, o sujeito age de acordo com o que considera certo por seus interesses pessoais. **Heteronomia** (*hetero* = vários + *nomia* = regras) é o perceber a existência de muitas regras que são impostas por outros que exercem autoridade. Nesse caminho é apresentada a **autonomia** (*auto + nomia*), na qual a pessoa é capaz de discernir e fazer escolhas por si mesma, dar a si própria a sua lei.

A construção da autonomia do discente passa por etapas de desenvolvimento que podem ser observadas desde muito cedo, e continua a ser desenvolvida no transcorrer de sua existência nas diferentes decisões a serem tomadas, como um processo de evolução e tomada de consciência. O processo educativo tem um papel fundamental nessa construção da autonomia do aluno.

De acordo com Delors (1998, p. 50), "A educação, permitindo o acesso de todos ao conhecimento, tem um papel bem concreto a desempenhar no cumprimento desta tarefa universal: ajudar a compreender o mundo e o outro, a fim de que cada um compreenda melhor a si mesmo".

A autonomia se constrói aos poucos limitada ao grupo de amigos e pessoas mais próximas. Mais tarde o indivíduo se percebe como membro de uma sociedade com leis e instituições. Na instituição escolar não é diferente: as "autoridades" educacionais ditam as normas, o currículo e os valores sociais, muitas vezes sem discuti-los com os alunos.

> O processo educativo tem um papel fundamental nessa construção da autonomia do aluno.

A autonomia, portanto, pode ser compreendida como resultante do processo de socialização que leva o indivíduo a sair do seu egocentrismo, característico dos estados de heteronomia, para cooperar com os outros e submeter-se (ou não) conscientemente às regras sociais, e isso será possível a partir do tipo das relações estabelecidas pelo sujeito com os outros.
(Araújo, 1996, p. 108)

Segundo os conceitos piagetianos, o desenvolvimento é um processo que diz respeito à totalidade das estruturas do conhecimento e da aprendizagem. Assim, podemos afirmar que alguém é autônomo quando manifesta um comportamento independente, é autônomo porque é capaz de viver em função de princípios próprios. Por um lado, mesmo o aluno mais indisciplinado pode julgar estar sendo autônomo e exigir que sua autonomia seja respeitada; por outro, é possível dizer que um aluno disciplinado não é um aluno autônomo, o que leva a pensar que ser autônomo em EaD não significa necessariamente ser disciplinado e vice-versa.

Nesse sentido, é percebida a importância da autonomia na EaD, ou seja, autonomia não como sinônimo de disciplina. Em outras palavras, falamos de uma autonomia disciplinada sem cairmos em redundância.

Peters (2006, p. 103) afirma que "o estudo autônomo desempenha papel importante na educação de adultos e nas educações complementares". Assim, é concebível que o progresso desse aluno deve ser avaliado com base em sua vivência e em sua realidade.

Em seu livro *Pedagogia da autonomia*, Paulo Freire fala dessa característica como construção autêntica da pessoa:

> *Me movo como educador, porque, primeiro, me movo como gente. Posso saber pedagogia, biologia como astronomia, posso cuidar da terra como posso navegar. Sou gente. Sei que ignoro e sei que sei. Por isso, tanto posso saber o que ainda não sei como posso saber melhor o que já sei. E saberei tão melhor e mais autenticamente quanto mais eficazmente construa minha autonomia em respeito à dos outros.* (Freire, 1996, p. 94)

Na EaD, o aluno constrói seus métodos de aprendizagem e assume maior responsabilidade sobre a construção do conhecimento que irá colaborar para o seu desenvolvimento integral. Isso não significa que ele se educa sozinho, mas que torna fato uma possibilidade.

Paulo Freire propõe uma pedagogia da autonomia e enfatiza o respeito devido à autonomia do ser do educando, que se funda na raiz da inconclusão[b] do ser que se sabe inconcluso. Assim, "Não foi a educação que fez mulheres e homens educáveis, mas a consciência de sua inconclusão é que gerou sua educabilidade" (Freire, 1996, p. 58). A educação é um processo constante de formação humana que exige respeito pelos outros e por si mesmo. Tal respeito à autonomia e à dignidade de cada um "é um imperativo ético e não um favor que podemos ou não conceder uns aos outros" (Freire, 1996, p. 59). Autonomia é uma das categorias centrais na obra de Freire e, principalmente,

[b] "O inacabamento de que nos tornamos conscientes nos fez seres éticos" (Freire, 1996, p. 59).

em *Pedagogia da autonomia*, em que escreve e reflete sobre esse conceito explicitando-o como um princípio pedagógico.

Na concepção de Freire (1996), a educação que visa formar para a autonomia é entendida como vocação para humanização, de modo que não é

> A educação é um processo constante de formação humana que exige respeito pelos outros e por si mesmo.

possível ser gente senão por meio de práticas educativas. A educação deve fomentar nos educandos a curiosidade, a criticidade e a conscientização, que é um esforço de conhecimento crítico dos obstáculos, já que ninguém se conscientiza isoladamente.

O educador e filósofo brasileiro ainda propõe uma discussão sobre autonomia com base em um paradoxo: o paradoxo da autonomia/dependência (Machado, 2008, p. 56). Promover a autonomia significa, então, libertar o ser humano de tudo que o oprime, que o impede de realizar sua vocação para ser mais, reconhecendo que a história é um tempo de possibilidades.

Para Freire (1996, p. 107), a autonomia é um vir a ser, um processo de amadurecimento do ser para si. "Ninguém é autônomo primeiro para depois decidir. A autonomia vai se construindo na experiência de várias e inúmeras decisões que vão sendo tomadas". Trata-se de um trabalho de construção da autonomia, que, na seara educacional, é do professor e do aluno, e não uma tarefa somente do professor ou do aluno consigo mesmo.

A autonomia ganha em Freire um sentido sócio-político--pedagógico. Ela é condição de um povo ou pessoa que tenha se libertado, se emancipado das opressões (heteronomias) que restringem ou anulam sua liberdade de determinação. Para conquistar a autonomia é preciso se libertar das estruturas opressoras (Zatti, 2007, p. 53). Há uma relação entre autonomia e libertação na medida em que quanto menores são as condições de opressão, maiores são as possibilidades de "ser para si", ou seja, de ser autônomo.

A proposta freireana é de uma educação para transformação, contraposta à educação bancária que considera os alunos como receptáculos de conteúdos. Para que ela promova autonomia é essencial que seja dialógica, entendendo diálogo como o encontro de seres humanos para serem mais. "No fundo, o essencial nas relações entre educador e educando, entre autoridade e liberdades, entre pais, mães, filhos e filhas é a reinvenção do ser humano no aprendizado de sua autonomia" (Freire, 1996, p. 94).

Na EaD, a autonomia do aluno remete à liberdade e independência na forma de aprendizagem. Dessa forma, o educando precisa definir quando dedicará maior tempo ao estudo, onde o fará, qual ritmo seguirá e quanto tempo será destinado a essa prática. Os meios oferecidos o apoiarão nessa tarefa, mas ela não acontecerá sem a sua participação ativa.

Portanto, é fundamental compreender a flexibilização do espaço e do tempo na modalidade de ensino EaD, como uma forma de conferir ao aluno condições de acordo com suas necessidades e características pessoais, para imprimir o seu ritmo de estudo e adquirir conhecimento formal no local e no tempo que ele julgar mais adequado, capaz de desenvolver sua autonomia. Esse tempo e essa flexibilidade colaboram para a realização das tarefas de estudo, revertendo em atividade produtiva para a aprendizagem do aluno.

4.2
Articulação entre ética e educação

Analisando a educação sob o prisma filosófico, Thums (2003) utiliza quatro elementos principais:

1. A reflexão;
2. A ação;
3. O discurso;
4. As consequências.

Assim, a compreensão da educação como ação humana torna-a alheia à conotação de um elemento irreal do comportamento humano exposto à sorte e ao acaso, fideliza-a como resultado de um jogo de ideias e de práticas criadas em determinada época em acordo com as ideologias e filosofias de então.

> *A educação nessa perspectiva se diferencia de ensino, pelo fato de que a educação pressupõe alguma mudança e alguma alteração nas formas de ser e de pensar referente a alguma situação objetiva ou subjetiva que se apresente como foco de atuação numa perspectiva da filosofia e da ontologia. Nessa diferenciação ensino se caracteriza como a dinâmica educativa comprometida com as informações e os conteúdos numa perspectiva da epistemologia.* (Alcântara, 2008, p. 3393)

pare e pense!

E, se estão juntas a ética e a educação, como não pensar em desvendar os princípios que conduzem os destinos da humanidade quando se coadunam com o bem-estar e a felicidade plural?

Reside nisso a ambiguidade educacional no campo da ética, pois se ela vem de *éthos*[c] e são os costumes formas de comportamento viabilizadoras da vida pacífica e comum das pessoas na comunidade, a difusão de valores que passam além desse princípio fundamental da justiça social se constitui em ação antiética (Goergen, 2005).

Instala-se, portanto, uma realidade representativa de um dilema na educação com ênfase na educação ética considerando que, se cabe à educação preparar as pessoas para a vida em sociedade, com o desenvolvimento de competências exigidas pelo sistema, deverá então formar cidadãos que convivam em sociedade com respeito e solidariedade (Goergen, 2005).

[c] De acordo com o Dicionário Houaiss (Houaiss; Villar, 2009), a palavra *éthos* significa: "**1** conjunto dos costumes e hábitos fundamentais, no âmbito do comportamento (instituições, afazeres etc.) e da cultura (valores, ideias ou crenças), característicos de uma determinada coletividade, época ou região. **1.1** na antropologia norte-americana, reunião de traços psicossociais que definem a identidade de uma determinada cultura; personalidade de base".

4.3
Autonomia, ética e educação a distância (EaD)

Para Guarezi e Matos (2009, p. 20), ainda que as principais características da EaD possam ser organizadas sob o aspecto da autonomia, da comunicação ou do processo tecnológico, elas juntas nos ajudam a construir um conceito mais completo. E é com base nessa perspectiva "ampla" que vamos refletir sobre a importância da autonomia do aluno na EaD.

Para isso, lançamos mão da reflexão de Estrela (1992, p. 12), que diz que "A disciplina não é um fim em si mesmo. Só poderá tornar-se um fim educativo se der origem à autodisciplina enquanto manifestação de autonomia do aluno como pessoa livre e, por isso, responsável". Com base nessa reflexão, vamos nos conectar ao perfil do aluno de EaD nos diversos cursos de graduação a distância, aluno do qual é exigida essa autodisciplina como manifestação de sua liberdade e de sua autonomia.

Quando falamos de aprendizagem em EaD, devemos entendê-la como um processo de construção particular do aluno, como algo dinâmico e flexível, com base em sua própria vivência e experiência. Assim, a autonomia apresenta-se como uma das condições *sine qua non* para o discente na EaD no processo de construção do conhecimento.

Se, por um lado, ensinar é criar a possibilidade para construção do conhecimento, por outro, aprender é tornar fato essa possibilidade. Nesse sentido, o discente deve aprender a organizar seu tempo e seus estudos, pois o aluno, ao iniciar os estudos na EaD, toma consciência da importância de se fazer um planejamento, de organizar sua própria rotina, seus horários, de ser determinado e explorar as ferramentas e as orientações passadas pelo professores e tutores. Somente assim conseguirá ser um aluno autônomo, capaz de gerar dentro de si esse processo de construção do conhecimento.

Na modalidade de ensino EaD, a necessidade de uma interação entre o professor e o aluno é muito mais complexa quando comparada à modalidade de ensino presencial.

Outro ponto relacionado à questão ética na EaD é a possibilidade de fraudes pelo fato de que muitos processos se realizam sem a necessidade de uma presença física em um mesmo tempo e lugar dos participantes. No entanto, não podemos deixar de mencionar que os cursos ofertados na modalidade EaD são fiscalizados e avaliados pelos órgãos competentes, assim como os cursos presenciais.

Em alguns modelos, as aulas dos cursos de graduação de EaD são transmitidas via satélite, os conteúdos e material de apoio são disponibilizados via internet e o aluno recebe todo suporte pedagógico e tecnológico por meio de diversos recursos tecnológicos e educacionais.

Contudo, por melhor que seja a preparação e o currículo do curso, ou a formação e a competência dos professores ou mesmo que a instituição de ensino superior ofereça os melhores recursos tecnológicos, podemos afirmar que o sucesso que se espera na EaD é o aprender a aprender do próprio estudante. Ou seja, ele aprender a construir o conhecimento. Para tal, é necessário mais que disciplina, em outras palavras, uma atitude autônoma, pois, na medida em que se tornar construtor de conhecimento, sujeito do processo, cada vez maior será sua autonomia.

Por ser realizada em espaço virtual, a EaD implica distância física (na maioria dos momentos) entre esses personagens, necessitando de meios de comunicação e informação de via dupla, na qual estas fluam livremente de forma pactuada, porém controlada para evitar as distorções que podem decorrer desse distanciamento físico.

O professor de EaD deixa de ser o intermediário visível do

ensino presencial para ser o agente presencial no ambiente virtual. Nesse sentido, as suas responsabilidades e atribuições inevitavelmente tendem à abrangência de responsabilidade docente sobre todos os aspectos que possam interferir nessa relação, desde a adequação dos conteúdos aos meios até a interação à operacionalização dos recursos e materiais didáticos utilizados.

> Na EaD, disciplina e autonomia são fundamentais, pois o discente não pode se limitar apenas a receber os conteúdos propostos pelos professores. Aliás, isso não seria EaD, porque não aconteceria ensino e tão pouco aprendizado da forma como estamos apresentando. É preciso ir além, buscando esse conhecimento com determinação, esforço e pesquisa. Em outras palavras, é necessário produzir ou construir esse conhecimento. Nesse processo, o comprometimento e o desejo de conhecimento farão com que o aluno mostre para si mesmo que é possível aprender sem depender da figura real (presencial) do professor. Assim, pode-se dizer que a EaD é uma possibilidade da educação acontecer na sua mais genuína essência.

Portanto, o aluno de EaD precisa procurar ter autonomia no que se refere às suas características pessoais, desde a organização do tempo disponível para o estudo e para a gerência de sua vida profissional e pessoal.

Dessa forma, podemos relacionar alguns itens que colaboram para o processo de disciplina e autonomia do estudante na EaD:

- Preservar a autonomia e a disciplina;
- Pensar de forma crítica e aberta;
- Organizar o tempo;
- Estar pronto e disponível para o novo;
- Ser empreendedor;
- Constituir metas, prazos e estratégias;

- Dar prioridade às tarefas que exigem mais de si;
- Buscar respostas para as dúvidas;
- Ter domínio dos meios de informação e comunicação disponíveis;
- Acessar diariamente o ambiente virtual de aprendizagem (AVA);
- Ser ativo e colaborativo no processo de interação (*chat*; fórum etc);
- Preparar-se com antecedência para as aulas, imprimindo os textos ou organizando uma pasta de arquivos para *downloads*;
- Dedicar-se à leitura de textos indicados;
- Expandir sua rede de contatos, aproveitando as diversidades culturais que a modalidade EaD oferece;
- Organizar seu tempo para a vida pessoal (folga dos estudos);
- Organizar fichas, esquemas, anotações e revisões dos conteúdos;
- Organizar seu material de estudo;
- Cumprir datas e prazos.

A EaD exige que o aluno tenha uma postura autônoma, entretanto ele não está só, pois conta com uma grande estrutura pedagógica e tecnológica (na maioria dos casos). Cabe ao aluno ter disciplina e saber usar as ferramentas que são disponibilizadas para a construção de seu conhecimento, já que todo o projeto pedagógico prima por um aprendizado constante e real, mesmo o aluno estando distante.

Essa modalidade de educação se utiliza de canais de comunicação que possibilitam ao aluno estar mais próximo do professor, mesmo com a distância geográfica. Esses canais também promovem a interação com os colegas de curso que é indispensável na EaD. A flexibilidade do espaço e do tempo próprios da EaD confere ao aluno condições para imprimir o seu ritmo de estudo, produzindo e construindo conhecimento de acordo com as suas necessidades e características pessoais, no local e no tempo que julgar mais adequado.

Síntese

Neste capítulo procuramos explicitar como a EaD envolve um processo educacional que necessita articular dois componentes essenciais: a **autonomia** e a **ética**, como características marcantes de todos os sujeitos da EaD. Buscamos refletir sobre o comportamento de alunos e professores na EaD, tendo como referência pressupostos éticos em busca da autonomia. Salientamos que se, por um lado, a EaD exige mais autonomia, autodeterminação, entre outras características, por outro, ela também carrega o risco de não alcançar os seus objetivos pela falta da relação face a face entre professor e aluno. Na EaD, essa relação, bem como o processo de construção do conhecimento e desenvolvimento da autonomia, conta com o apoio de tecnologias de comunicação e informação.

A aprendizagem em EaD compreende um processo de construção particular do aluno como algo dinâmico e flexível, com base em sua própria vivência e experiência. A autonomia mostra-se como uma das condições imprescindíveis para o estudante na EaD nesse processo de construção do conhecimento. Como enfatizamos, se ensinar é criar a possibilidade para construção do conhecimento, aprender é tornar essa possibilidade fato.

Indicações culturais

Livros

CORTELAZZO, I. B. de C. Prática pedagógica, aprendizagem e avaliação em educação a distância. 2. ed. Curitiba: Ibpex, 2010.

Nessa obra, a autora busca orientar o estudo sobre os fundamentos da EaD relacionado aos temas *tecnologia*, *ciência* e *educação*. O livro apresenta princípios educacionais e uma retrospectiva histórica da EaD, caracterizada por diferentes abordagens teóricas e finalidades. A obra também contempla questões como autoaprendizagem, funções da tutoria e avaliação da aprendizagem em EaD.

WILLARD, R. ; OLIVEIRA, E. G. de. Tecnologia na educação: uma perspectiva sócio-interacionista. Rio de Janeiro: Dunya, 2005.

Nessa obra, as autoras abordam o processo de desenvolvimento da identidade do ser humano, bem como as diferentes etapas de aprendizagem. A obra apresenta um estudo crítico sobre ações educativas alicerçadas em meios virtuais de transmissão do saber e da aquisição de conhecimentos, e em particular a EaD, que emergiu como alternativa viável para a educação em nosso país, conquistando seu próprio espaço como instrumento de democratização do acesso ao conhecimento.

Vídeos

O SENTIDO de aprender e o sucesso na EaD. Disponível em: <http://www.youtube.com/watch?feature=endscreen&v=Zn4mhAulPzo&NR=1>. Acesso em: 19 set. 2012.

Nesse vídeo, a professora Joelma De Riz faz reflexões sobre o perfil dos estudantes na educação a distância, enfatizando que esse perfil vai mudar com o tempo. Não obstante os avanços alcançados e os preconceitos superados no que diz respeito à EaD, uma questão recorrente apresenta-se como fundamental nesse contexto: **Qual o sentido da educação e de aprender?**

APRENDER a aprender. Disponível em: <http://www.youtube.com/watch?v=Pz4vQM_EmzI&feature=related>. Acesso em: 19 set. 2012.

Nesse vídeo, percebemos a importância da persistência necessária a todos os sujeitos no processo de ensinar e aprender. É uma excelente indicação para propor reflexões sobre a autonomia do estudante e o trabalho do professor no processo de ensino-aprendizagem.

Atividades de autoavaliação

1. Com base nas características da EaD apresentadas neste capítulo, relacione os conceitos apresentados com suas respectivas características:
    a) Autonomia.
    b) Processo de comunicação.
    c) Dispersão geográfica.
    d) Larga escala.

(   ) O aluno da EaD é responsável pelo seu estudo, portanto, deve estabelecer o melhor momento para realizá-lo.

(   ) A EaD possibilita a democratização do ensino, pois alcança um grande número de alunos.

(   ) São diversas as formas de interação ente alunos e professores. Podem ser utilizados, por exemplo, *chats*, correspondência eletrônica e televisão.

(   ) A EaD atinge diferentes localidades, pois não se limita a um único espaço físico.

2. Podemos afirmar que a autonomia é parte essencial para o sucesso da EaD. Com base nas considerações apresentadas na obra, analise as afirmações a seguir e assinale a alternativa correta:

a) Todo aluno, pelo fato de ter mais de 30 anos, é um adulto autônomo e age sempre de forma madura e responsável.

b) Cabe exclusivamente ao professor incentivar e ajudar a desenvolver a autonomia do aluno.

c) Segundo a EaD, os referenciais, as datas de entrega de trabalhos, os critérios de avaliação etc. são de responsabilidade exclusiva do professor.

d) Devemos ter como meta o desenvolvimento da autonomia, porém sem pressupor que ela já esteja desenvolvida em todos os alunos.

3. Marque a alternativa correta de acordo com a seguinte afirmação:

Com base nos estudos de Piaget sobre o juízo moral e seu desenvolvimento, Araújo (1996, p. 104) nos apresenta um caminho para atingir a autonomia, no seguinte itinerário:

a) Disciplina, vontade e dedicação.
b) Anomia e heteronomia em direção à autonomia.
c) Disciplina e nomia.
d) Cuidado, disciplina e autonomia.

4. Complete as lacunas de forma correta:

   Segundo Freire (1996, p. 107), a autonomia é um vir a ser, um processo de amadurecimento do ser para si. Nesse sentido, "Ninguém _____ primeiro para depois decidir. A autonomia vai se _____ na experiência de várias e inúmeras _____ que vão sendo tomadas.

   a) é disciplinado – transformando – opiniões.
   b) é autônomo – construindo – decisões.
   c) é autônomo – disciplinando – imposições.
   d) deve agir – impondo – ordens.

5. Com relação ao processo que colabora com a disciplina e a autonomia do estudante na EaD, marque (V) para as alternativas verdadeiras e (F) para as alternativas falsas:

   ( ) Pensamento crítico e aberto.
   ( ) Organizar o tempo.
   ( ) Buscar resposta para as dúvidas.
   ( ) Ser ativo e colaborativo no processo de interação (*chat*, fórum etc).
   ( ) Dedicar-se a leitura e textos indicados.

Indique a sequência correta:

a) F, F, V, F, V.
b) V, V, V, V, V.
c) F, F, V, F, F.
d) V, V, V, V, F.

Atividades de aprendizagem

Questão para reflexão

1. Realize um bate-papo com seus colegas de curso sobre a afirmação de Piaget (1998) de que a autonomia é uma educação do pensamento, da razão e da própria lógica, ela é necessária e é condição primeira da educação da liberdade. Não é suficiente preencher a memória de conhecimentos úteis para se fazer seres humanos livres: é preciso formar inteligências ativas.

    Com base nessa constatação de Piaget, converse com seus colegas de turma sobre a maneira pela qual ocorre esse processo de desenvolvimento da autonomia em sua vida, principalmente no que diz respeito à sua formação acadêmica. Após a reflexão, registre os resultados em um texto.

Atividades aplicadas: prática

1. Redija um texto dissertativo em que seja expressada a relação entre autonomia, disciplina e EaD.

2. Nessa perspectiva de EaD e autonomia, escreva sobre o papel do professor no processo educativo.

3. Com base no conteúdo apresentado neste capítulo, construa um texto em que seja demonstrada a articulação entre ética e educação.

Considerações finais

A educação a distância (EaD), embora presente desde as antigas civilizações, não despertou o interesse de estudiosos como ocorre na contemporaneidade, quando são agregados ao aprendizado individual diferentes elementos interpretativos que motivam a adesão e implicam crescimento dessa modalidade no Brasil e no mundo.

Com o desdobramento desse interesse, também conceitos, definições e explicitações relativas à EaD ocorrem em profusão. O importante disso tudo é que a sua história no contexto da história da educação vem sendo revelada pela investigação acadêmica e, sob essa condição, recebe um novo registro e se sujeita a novas interpretações.

Percebemos que a evolução da EaD no Brasil se deu em paralelo à história da educação nacional, pois foi acolhida pelas políticas públicas e educacionais e inserida na legislação constitucional e demais instrumentos. De um modo geral, a história da EaD acompanhou as mudanças do mundo produtivo e das revoluções tecnológicas.

Ressaltamos que uma das intenções desta obra foi também realizar um resgate histórico sobre a EaD no mundo e principalmente no Brasil, uma vez que esse resgate é fundamental para colaborar na realização de nosso objetivo principal: expressar o *que* e o *quem* da EaD. Não se teve a pretensão, porém, de concluir definitivamente o estudo sobre a história da EaD, em razão da importância que essa modalidade ganha a cada dia e de sua contribuição na formação humana e para a qualificação profissional.

Procuramos analisar os fundamentos, características e componentes da EaD, partindo do princípio de que seu entendimento precisa considerar o horizonte maior que é a realidade da educação. Nessa perspectiva, a EaD, como práxis social que se utiliza de recursos tecnológicos para mediar o processo educativo, carrega as características de uma atividade humana historicamente contextualizada, não isenta de contradições e conflitos.

Considerando a necessidade de formação permanente tão apregoada e solicitada atualmente, procuramos analisar a formação docente, tanto a inicial quanto a continuada, e propomos uma formação alicerçada em fundamentos gnosiológicos, epistemológicos, ético-políticos e pedagógicos.

Com base nos dados que apresentamos, fica evidente que grande parte da formação inicial e continuada de professores vem sendo realizada na modalidade a distância. Esse fato ressalta ainda mais a necessidade de proporcionar a maior qualidade possível nos cursos oferecidos, pois se trata da **formação de futuros formadores**. Assim, uma opção pela EaD para formação de professores que se paute unicamente na economia de recursos é injustificável e terá consequências desastrosas.

Nesta obra também analisamos a autonomia e a EaD como temas que possuem uma relação essencial e com implicações éticas para todos os sujeitos dessa modalidade. Percebemos que muitos dos estudantes de EaD são alunos disciplinados, contudo não autônomos. Sugerimos a você uma pesquisa que busque investigar esse aparente paradoxo.

Esperamos que os resultados alcançados sirvam como material de consulta para a realização de novas pesquisas e estudos sobre essa temática, como analisar o material didático para investigar temas como a prática pedagógica, subjacente/explícita nos materiais de cada curso, ou a análise do sistema de avaliação empregado na EaD.

Referências

ABBAGNANO. N. **Dicionário de filosofia**. 4. ed. São Paulo: M. Fontes, 2000.

ABED – Associação Brasileira de Educação a Distância. **Censo EaD.BR 2009**. São Paulo: Person Education do Brasil, 2010.

_____. **[Descritivo técnico]**. Disponível em: <http://www2.abed.org.br/institucional.asp?Institucional_ID=1>. Acesso em: 19 set. 2012.

_____. **Estatuto da Associação Brasileira de Educação a Distância – Abed**. Disponível em: <http://www2.abed.org.br/institucional.asp?Institucional_ID=51>. Acesso em: 19 set. 2012.

ABT – Associação Brasileira de Tecnologia Educacional. **Conheça a ABT**. Disponível em: <http://www.abtbr.org.br/index.php?option=com_content&view=article&id=30&Itemid=42>. Acesso em: 19 set. 2012.

ALCÂNTARA, M. G. dos S. Ética e currículo na educação jurídica. In: CONGRESSO NACIONAL DE EDUCAÇÃO, 8., 2008, Curitiba. **Anais**... Curitiba: PUC/PR, 2008. Disponível em: <http://www.pucpr.br/eventos/educere/educere2008/anais/pdf/87_421.pdf>. Acesso em: 15 nov.2012.

ALVES, G. M. Tecnologias e suas implicações na prática pedagógica do supervisor escolar. In: CONGRESSO INTERNACIONAL ABED DE EDUCAÇÃO A DISTÂNCIA, 15., 2009, Fortaleza. **Anais**... São Paulo: Abed, 2009. Disponível em: <http://www.abed.org.br/congresso2009/CD/trabalhos/1552009122702.pdf>. Acesso em: 19 set. 2012.

ALVES, J. R. M. A história da EaD no Brasil. In: LITTO, F. M; FORMIGA, M. M. (Org.). **Educação a distância**: o estado da arte. São Paulo: Pearson Education Brasil, 2009. p. 9-13.

ARAÚJO, M. M. de. A educação tradicional e a educação nova no Manifesto dos Pioneiros (1932). In: XAVIER, M. do C. (Org.). **Manifesto dos Pioneiros da Educação**: um legado educacional em debate. Rio de Janeiro: Ed. da FGV, 2004. p. 131-146.

ARAÚJO, U. F. de. Moralidade e indisciplina: uma leitura possível a partir do referencial piagetiano. In: AQUINO, J. G. (Org.). **Indisciplina na escola**: alternativas teóricas e práticas. São Paulo: Summus, 1996.

ARETIO, L. G. **Educación a distancia hoy**. Madrid: Uned, 1994.

AZEVEDO, F. **A educação entre dois mundos**: problemas, perspectivas e orientações. São Paulo: Melhoramentos, 1958.

BARRETO, R. G. Configuração da política nacional de formação de professores a distância. **Em Aberto**, Brasília, v. 23, n. 84, p. 33-45, nov. 2010. Disponível em: <http://emaberto.inep.gov.br/index.php/emaberto/article/viewFile/1789/1352>. Acesso em: 25 set. 2012.

BARROS, D. M. V. **Educação a distância e o universo do trabalho**. São Paulo: Edusc, 2003.

BELLONI, M. L. **Educação a distância**. 5. ed. Campinas: Autores Associados, 2008. (Coleção Educação Contemporânea).

_____. Tecnologia e formação de professores: rumo a uma pedagogia pós-moderna. **Educação & Sociedade**, Campinas, v. 19, n. 65, dez. 1998. Disponível em: <www.scielo.br/scielo.php?script=sci_arttext&pid=S0101-73301998000400005>. Acesso em: 10 out. 2011.

BOHADANA, E.; VALLE. L. do. O quem da educação a distância. **Revista Brasileira de Educação**, Rio de Janeiro, v. 14, n. 42, set./dez. 2009. Disponível em: <http://www.scielo.br/scielo.php?script=sci_arttext&pid=S1413-24782009000300011&lng=pt&nrm=iso>. Acesso em: 25 set. 2012.

BOTTOMORE, T. (Ed.). **Dicionário do pensamento marxista**. Tradução de Waltensir Dutra. Rio de Janeiro: Zahar, 2001.

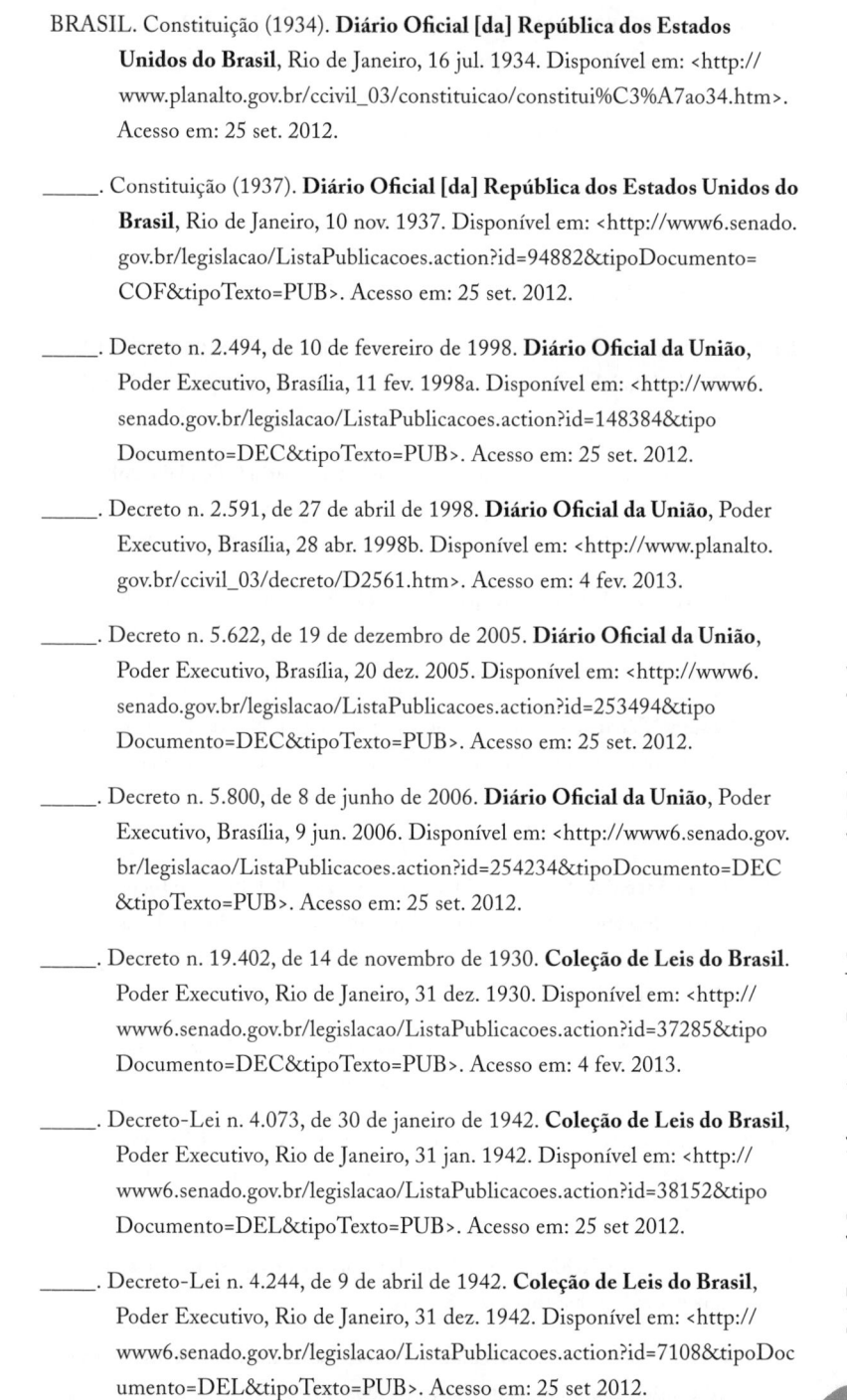

BRASIL. Constituição (1934). **Diário Oficial [da] República dos Estados Unidos do Brasil**, Rio de Janeiro, 16 jul. 1934. Disponível em: <http://www.planalto.gov.br/ccivil_03/constituicao/constitui%C3%A7ao34.htm>. Acesso em: 25 set. 2012.

_____. Constituição (1937). **Diário Oficial [da] República dos Estados Unidos do Brasil**, Rio de Janeiro, 10 nov. 1937. Disponível em: <http://www6.senado.gov.br/legislacao/ListaPublicacoes.action?id=94882&tipoDocumento=COF&tipoTexto=PUB>. Acesso em: 25 set. 2012.

_____. Decreto n. 2.494, de 10 de fevereiro de 1998. **Diário Oficial da União**, Poder Executivo, Brasília, 11 fev. 1998a. Disponível em: <http://www6.senado.gov.br/legislacao/ListaPublicacoes.action?id=148384&tipoDocumento=DEC&tipoTexto=PUB>. Acesso em: 25 set. 2012.

_____. Decreto n. 2.591, de 27 de abril de 1998. **Diário Oficial da União**, Poder Executivo, Brasília, 28 abr. 1998b. Disponível em: <http://www.planalto.gov.br/ccivil_03/decreto/D2561.htm>. Acesso em: 4 fev. 2013.

_____. Decreto n. 5.622, de 19 de dezembro de 2005. **Diário Oficial da União**, Poder Executivo, Brasília, 20 dez. 2005. Disponível em: <http://www6.senado.gov.br/legislacao/ListaPublicacoes.action?id=253494&tipoDocumento=DEC&tipoTexto=PUB>. Acesso em: 25 set. 2012.

_____. Decreto n. 5.800, de 8 de junho de 2006. **Diário Oficial da União**, Poder Executivo, Brasília, 9 jun. 2006. Disponível em: <http://www6.senado.gov.br/legislacao/ListaPublicacoes.action?id=254234&tipoDocumento=DEC&tipoTexto=PUB>. Acesso em: 25 set. 2012.

_____. Decreto n. 19.402, de 14 de novembro de 1930. **Coleção de Leis do Brasil**. Poder Executivo, Rio de Janeiro, 31 dez. 1930. Disponível em: <http://www6.senado.gov.br/legislacao/ListaPublicacoes.action?id=37285&tipoDocumento=DEC&tipoTexto=PUB>. Acesso em: 4 fev. 2013.

_____. Decreto-Lei n. 4.073, de 30 de janeiro de 1942. **Coleção de Leis do Brasil**, Poder Executivo, Rio de Janeiro, 31 jan. 1942. Disponível em: <http://www6.senado.gov.br/legislacao/ListaPublicacoes.action?id=38152&tipoDocumento=DEL&tipoTexto=PUB>. Acesso em: 25 set 2012.

_____. Decreto-Lei n. 4.244, de 9 de abril de 1942. **Coleção de Leis do Brasil**, Poder Executivo, Rio de Janeiro, 31 dez. 1942. Disponível em: <http://www6.senado.gov.br/legislacao/ListaPublicacoes.action?id=7108&tipoDocumento=DEL&tipoTexto=PUB>. Acesso em: 25 set 2012.

BRASIL. Lei n. 5.692, de 11 de agosto de 1971. **Diário Oficial da União**, Poder Legislativo, Brasília, 12 ago. 1971. Disponível em: <http://www6.senado. gov.br/legislacao/ListaPublicacoes.action?id=102368&tipoDocumento= LEI&tipoTexto=PUB>. Acesso em: 25 set. 2012.

_____. Lei n. 9.394, de 20 de dezembro de 1996. **Diário Oficial da União**, Poder Legislativo, Brasília, 23 dez. 1996. Disponível em: <http://www6.senado. gov.br/legislacao/ListaPublicacoes.action?id=102480&tipoDocumento= LEI&tipoTexto=PUB>. Acesso em: 25 set. 2012.

BRASIL. Ministério da Educação. Portaria n. 2.253, de 18 de outubro de 2001. **Diário Oficial da União**, Brasília, 19 out. 2001. Disponível em: <http:// www.unesp.br/proex/portaria2253.htm>. Acesso em: 4 fev. 2013.

_____. Portaria n. 4.059, de 10 de dezembro de 2004. **Diário Oficial da União**, Brasília, 13 dez. 2004. Disponível em: <http://portal.mec.gov.br/sesu/ arquivos/pdf/nova/acs_portaria4059.pdf>. Acesso em: 25 set. 2012.

_____. **Referenciais de Qualidade para Educação Superior a Distância**. Brasília, 2007. Disponível em: <http://portal.mec.gov.br/seed/arquivos/pdf/ legislacao/refead1.pdf>. Acesso em: 25 set. 2012.

_____. **Resumo Técnico**: Censo da Educação Superior 2008. Brasília: Inep, 2009. Disponível em: <http://www.ufrgs.br/sai/dados-resultados/avaliacao-das-ies-em-geral/arquivos-avaliacao-ies-geral/CES2008ResumoTecnico.pdf>. Acesso em: 25 set. 2012.

_____. **Resumo técnico**: Censo da Educação Superior 2009. Brasília: Inep, 2010. Disponível em: <http://www.ufrgs.br/sai/dados-resultados/avaliacao-das-ies-em-geral/arquivos-avaliacao-ies-geral/CES2009ResumoTecnico.pdf>. Acesso em: 27 set. 2012.

BRAVERMAN. H. **Trabalho e capital monopolista**: a degradação do trabalho no século XX. 3. ed. Rio de Janeiro: Zahar, 1981.

BRESSER-PEREIRA, L. C. **Desenvolvimento e crise no Brasil**: história, economia e política de Getúlio Vargas a Lula. 5. ed. São Paulo: Editora 34, 2003.

BRITO, G. da S.; PURIFICAÇÃO. I. da. **Educação e novas tecnologias**: um repensar. Curitiba: Ibpex, 2008.

BRITO, S. H. A. de. (Org.). **A organização do trabalho didático na história da educação**. Campinas: Autores Associados, 2010.

BULCÃO, R. Aprendizagem por m-learning. In: LITTO, F. M.; FORMIGA, M. M. M. (Org.) **Educação a distância**: o estado da arte. São Paulo: Pearson Education do Brasil, 2009. p. 81-86.

CAPES – Coordenação de Aperfeiçoamento de Pessoal de Nível Superior. **Banco de teses e dissertações**. Disponível em: <http://capesdw.capes.gov.br/capesdw>. Acesso em: 25 set. 2012.

CAYGILL, H. **Dicionário Kant**. Rio de Janeiro: J. Zahar, 2000.

CHAUI, M. **Convite à filosofia**. São Paulo: Ática, 1995.

CORSI, F. L. Política econômica e nacionalismo no Estado Novo. In: SZMRECSÁNYI, T.; SUZIGAN, W. (Org.). **História econômica do Brasil contemporâneo**. 2. ed. São Paulo: Hucitec, 2002. p. 3-16.

CORTELAZZO. I. B. de. **Prática pedagógica, aprendizagem e avaliação em educação a distância**. 2. ed. Curitiba: Ibpex, 2010.

CRUZ, D. M. Aprendizagem por videoconferência. In: LITTO, F. M.; FORMIGA, M. M. M. (Org.). **Educação a distância**: o estado da arte. São Paulo: Pearson Education do Brasil, 2009. p. 87-94.

DEL BIANCO, N. R. Aprendizagem por rádio. In: LITTO, F. M.; FORMIGA, M. M. M. (Org.). **Educação a distância**: o estado da arte. São Paulo: Pearson Education do Brasil, 2009. p. 56-64.

DELORS, J. et al. **Educação, um tesouro a descobrir:** Relatório para a Unesco da Comissão Internacional sobre Educação para o Século XXI. São Paulo: Cortez/Unesco, 1998.

DEMO, P. **Formação permanente e tecnologias educacionais**. Petrópolis: Vozes, 2006.

DIAS, M. A. R. Dez anos de antagonismo nas políticas sobre ensino superior em nível internacional. **Educação & Sociedade**, Campinas, v. 25, n. 88, p. 893-914, out. 2004. Disponível em: <http://www.scielo.br/pdf/es/v25n88/a12v2588.pdf>. Acesso em: 25 set. 2012.

DIAS. R. A.; LEITE, L. S. **Educação a distância**: da legislação ao pedagógico. Petrópolis: Vozes, 2010.

DOURADO, L. F. Políticas e gestão da educação superior a distância: novos marcos regulatórios? **Educação & Sociedade**, Campinas, v. 29, n. 104, p. 891-917, out. 2008. Disponível em: <http://www.scielo.br/pdf/es/v29n104/a1229104.pdf>. Acesso em: 25 set. 2012.

DUARTE, N. Lukács e Saviani: a ontologia do ser social e a pedagogia histórico-crítica. In: SEMINÁRIO NACIONAL DE ESTUDOS E PESQUISAS: HISTÓRIA, SOCIEDADE E EDUCAÇÃO NO BRASIL, 8., 2009, Campinas. **Anais**... Campinas: Histedbr, 2009. Disponível em: <www.histedbr.fae.unicamp.br/acer_histedbr/seminario/seminario8/_files/GlNNNi3M.pdf>. Acesso em: 24 abr. 2011.

ESTRELA, M. T. **Relação pedagógica, disciplina e indisciplina na aula**. 3. ed. Porto: LDA, 1992.

FARIA, A. A.; SALVADORI, A. A educação a distância e seu movimento histórico no Brasil. **Revista das Faculdades Santa Cruz**, Curitiba, v. 8, n. 1, p. 15-22, jan./jun. 2010. Disponível em: <http://www.santacruz.br/v4/download/revista-academica/14/08-educacao-a-distancia-e-seu-movimento-historico-no-brasil.pdf>. Acesso em: 10 jul. 2012.

FOLHA DIRIGIDA. **História**: EaD presente no Brasil há 70 anos, jul. 2009. Disponível em: <http://www.institutomonitor.com.br/html/release/38.html>. Acesso em: 28 set. 2012.

_____. **Tudo começou há 70 anos**. Disponível em: <http://www.institutomonitor.com.br/html/release/57.html>. Acesso em: 27 set. 2012.

FREIRE, P. **Educação e mudança**. São Paulo: Paz e Terra, 1976.

_____. **Pedagogia da autonomia**: saberes necessários à prática educativa. 34. ed. São Paulo: Paz e Terra. 1996.

GALILEI, G. **Diálogo sobre os dois máximos sistemas do mundo**: ptolomaico e copernicano. 2. ed. São Paulo: Discurso Editorial, 2004.

GAMBOA, S. A. **Epistemologia da pesquisa em educação**: métodos e epistemologias. Chapecó: Argos, 2007.

GATTI JUNIOR, D. Apontamentos sobre a pesquisa histórico-educacional no campo das instituições escolares. **Cadernos de História da Educação**, v. 1, n. 1, p. 29-31, jan./dez. 2002. Disponível em: <http://www.seer.ufu.br/index.php/che/article/view/302/299>. Acesso em: 26 set. 2012.

GATTI JUNIOR, D.; PESSANHA, E. História da educação, instituições e cultura escolar: conceitos, categorias e materiais históricos. In: GATTI JUNIOR, D.; INÁCIO FILHO, G. (Org.). **História da educação em perspectiva**: ensino, pesquisa, produção e novas investigações. Campinas: Autores Associados; Uberlândia: Edufu, 2005. p. 153-191. (Coleção Memória da Educação).

GATTI, B. A. Análise das políticas públicas para formação continuada no Brasil, na última década. **Revista Brasileira de Educação**, Rio de Janeiro, v. 13, n. 37, p. 57-186, jan./abr. 2008. Disponível em: <http://www.scielo.br/scielo.php?script=sci_arttext&pid=S1413-24782008000100006&lng=en&nrm=1&tlng=pt>. Acesso em: 26 set. 2012.

GIL, A. C. **Métodos e técnicas de pesquisa social**. 5. ed. São Paulo: Atlas, 1999.

GIL, N. de L. **A dimensão da educação nacional**: um estudo sócio-histórico das estatísticas oficiais da escola brasileira. Tese (Doutorado em Educação) – Universidade de São Paulo, São Paulo, 2007. Disponível em: <http://www.teses.usp.br/teses/disponiveis/48/48134/tde-31052007-112812/publico/TeseNataliaGil.pdf>. Acesso em: 26 set. 2012.

GIOLO, J. A educação a distância e a formação de professores. **Educação & Sociedade**, Campinas, v. 29, n. 105, p. 1211-1234, set./dez. 2008. Disponível em: <http://www.scielo.br/pdf/es/v29n105/v29n105a13>. Acesso em: 26 set. 2012.

_____. A educação a distância: tensões entre o público e o privado. **Educação & Sociedade**, Campinas, v. 31, n. 113, p. 1271-1298, out./dez. 2010. Disponível em: <http://www.scielo.br/pdf/es/v31n113/12.pdf>. Acesso em: 26 set. 2012.

GOERGEN, P. **Pós-modernidade, ética e educação**. 2. ed. Campinas: Autores Associados, 2005.

GOMES, C. A. C. A legislação que trata da EaD. In: LITTO, F. M.; FORMIGA, M. M. M. (Org.). **Educação a distância**: o estado da arte. São Paulo: Pearson Education do Brasil, 2009. p. 21-27.

GOMEZ, C. M. et. al. **Trabalho e conhecimento**: dilemas na educação do trabalhador. 5. ed. São Paulo: Cortez, 2004.

GORENDER, J. Introdução. In: MARX, K.; ENGELS, F. **A ideologia alemã**. São Paulo: M. Fontes, 2008.

GORENDER, J. Introdução. In: MARX, K. **Para a crítica da economia política**. São Paulo: Abril Cultural, 1982. (Coleção Os Economistas).

GRAMSCI, A. **Escritos políticos**. Rio de Janeiro: Civilização Brasileira, 2004. v. 1: 1910-1920.

GRECO, J. F. N. Ideologias nas reformulações das políticas públicas para a educação brasileira. **Cadernos da Fucamp**, Monte Carmelo, v. 2, n. 2, p. 11-28, jul. 2003. Disponível em: <http://www.fucamp.edu.br/wp-content/uploads/2010/10/1-Ideologias-nas-reformula%C3%A7%C3%B5es-das-Pol.-Greco.pdf>. Acesso em: 26 set. 2012.

GRUPO ESPECIAL SOBRE EDUCACIÓN SUPERIOR Y SOCIEDAD. **La educación superior en los países em desarollo**: peligros y promessas. 2000. Disponível em: <http://siteresources.worldbank.org/EDUCATION/Resources/278200-1099079877269/547664-1099079956815/peril_promise_sp.pdf>. Acesso em 26 set. 2012.

GUAREZI, R. de C. M.; MATOS, M. M. de. **Educação a distância sem segredos**. Curitiba: Ibpex, 2009.

HADDAD, S.; DI PIERRO, M. C. Escolarização de jovens e adultos. **Revista Brasileira de Educação**, Rio de Janeiro, n. 14, p. 108-130, mai./jun./jul./ago. 2000. Disponível em: <http://educa.fcc.org.br/pdf/rbedu/n14/n14a07.pdf>. Acesso em: 26 set. 2012.

HARVEY. D. **Condição pós-moderna**: uma pesquisa sobre as origens da mudança cultural. 6. ed. São Paulo: Loyola, 1996.

HOLMBERG, B. **Educación a distancia**: situación y perspectivas. Buenos Aires: Editorial Kapelusz, 1977.

HOUAISS, A.; VILLAR, M. de S. **Dicionário Houaiss da língua portuguesa**. versão 3.0. Rio de Janeiro: Instituto Antônio Houaiss; Objetiva, 2009. 1 CD-ROM.

IUB – Instituto Universal Brasileiro. [**História**]. Disponível em: <http://www.institutouniversal.com.br/historia.php?IUB>. Acesso em: 26 set. 2012.

_____. **Material de divulgação de cursos**. São Paulo, 2010.

KANT, I. **Crítica da razão prática**. São Paulo: Escala, 2006.

KEEGAN, D. **Foundations of Distance Education**. 3. ed. London: Routledge, 2003.

KENSKI, V. M. **Tecnologias e ensino presencial e a distância**. 7. ed. São Paulo: Papirus, 2009.

LANDIM, C. M. P. F. **Educação a distância: algumas considerações**. Rio de Janeiro: Nova Fronteira, 1997.

LEMOS, G.; BRENNAND, E. **Televisão digital interativa**: reflexões, sistemas e padrões. Belo Horizonte: Horizonte, 2007.

LEMOS, M. F. R. de, et al. EaD impresso, ainda se usa? In: CONGRESSO INTERNACIONAL ABED DE EDUCAÇÃO A DISTÂNCIA, 15., 2009, Fortaleza. **Anais**... São Paulo: Abed, 2009. Disponível em: <http://www.abed.org.br/congresso2009/CD/trabalhos/1552009144726.pdf>. Acesso em: 27 set. 2012.

LIMA, A. R.; CAVALCANTE, I. F. Elaboração de material didático em EAD: a experiência do curso de Tecnologia em Gestão Ambiental no IFRN/UAB. In: CONGRESSO INTERNACIONAL ABED DE EDUCAÇÃO A DISTÂNCIA, 15., 2009, Fortaleza. **Anais**... São Paulo: Abed, 2009. Disponível em: <http://www.abed.org.br/congresso2009/CD/trabalhos/552009152156.pdf>. Acesso em: 27 set. 2012.

LITTO, F. M.; FORMIGA, M. M. M. (Org.). **Educação a distância**: o estado da arte. São Paulo: Pearson Education do Brasil, 2009.

LOBO NETO, F. J. S. Regulamentação da educação a distância: caminhos e descaminhos. In: _____. (Org.). **Educação a distância**: regulamentação. Brasília: Plano; São Paulo: ABT, 2000. p. 399-471.

LOPES, L. F. **Políticas de formação continuada a distância de professores no Estado do Paraná**. Dissertação (Mestrado em Educação) – Universidade Tuiuti do Paraná, Curitiba, 2011.

MACHADO, R. de C. F. In: STRECK, E.; REDIN, E.; ZITKOSKI, J. J. (Org.). **Dicionário Paulo Freire**. Belo Horizonte: Autêntica, 2008.

MAIA, M. C. Adoção e disseminação de tecnologias educacionais em cursos presenciais. In: CONGRESSO INTERNACIONAL ABED DE EDUCAÇÃO A DISTÂNCIA, 15., 2009, Fortaleza. **Anais**... São Paulo: Abed, 2009. Disponível em: <http://www.abed.org.br/congresso2009/CD/trabalhos/2782009111109.pdf>. Acesso em: 27 set. 2012.

MAIA, M. C.; MATTAR, J. **ABC da EaD**. São Paulo: Pearson Education do Brasil, 2007.

MARTINS, O. B. **Fundamentos da educação a distância**. Curitiba: Ibpex, 2005.

MARX, K. **O capital**. 3. ed. São Paulo: Edipro, 2008.

_____. **Para crítica da economia política**. São Paulo: Abril Cultural, 1982. (Coleção Os Economistas).

MARX, K.; ENGELS, F. **A ideologia alemã**. São Paulo: M. Fontes, 2008.

MELO, A. de. **Fundamentos socioculturais da educação**. Curitiba: Ibpex, 2011.

MINTO, L. W. Teoria do capital humano. **Navegando pela história da educação brasileira**. Disponível em: <http://www.histedbr.fae.unicamp.br/navegando/glossario/verb_c_teoria_%20do_capital_humano.htm>. Acesso em: 24 jul. 2011.

MOORE, M.; KEARSLEY, G. **Educação a distância**: uma visão integrada. São Paulo: Cengage Learning, 2007.

MORAES, M. C. M. de. (Org.). **Iluminismo às avessas**: produção do conhecimento e políticas de formação docente. Rio de Janeiro: DP&A, 2003.

MORAES, M. C. **O paradigma educacional emergente**. 7. ed. Campinas: Papirus, 1997.

_____. **Pensamento ecossistêmico**: educação, aprendizagem e cidadania no século XXI. Petrópolis: Vozes, 2004.

NISKIER, A. **Educação a distância**: tecnologia da esperança. 2. ed. São Paulo: Loyola, 2000.

_____. Os aspectos culturais e a EAD. In: LITTO, F. M.; FORMIGA, M. M. M. (Org.). **Educação a distância**: o estado da arte. São Paulo: Pearson Education do Brasil, 2009. p. 28-33.

NOGUEIRA, D. X. P.; MORAES, R. de A. Educação a distância no Brasil: uma análise histórica das políticas educacionais brasileiras. In: SEMINÁRIO NACIONAL DE ESTUDOS E PESQUISAS HISTÓRIA, SOCIEDADE E EDUCAÇÃO NO BRASIL, 8., 2009, Campinas. **Anais**... Campinas: histedbr, 2009.

NUNES, I. B. A história da EAD no mundo. In: LITTO, F. M.; FORMIGA, M. M. M. (Org.). **Educação a distância**: o estado da arte. São Paulo: Pearson Education do Brasil, 2009. p. 2-7.

OLIVEIRA. E. G. **Educação a distância na transição paradigmática**. 3. ed. Campinas: Papirus, 2003.

PALANGE, I.; MESQUITA, D.; LEMOS, M. F. R. Educação a distância: o material impresso não morreu. In: CONGRESSO INTERNACIONAL ABED DE EDUCAÇÃO A DISTÂNCIA, 15., 2009, Fortaleza. **Anais**... São Paulo: Abed, 2009. Disponível em: <http://www.abed.org. br/congresso2009/CD/trabalhos/652009083806.pdf>. Acesso em: 27 set. 2012.

PALHARES, R. Aprendizagem por correspondência. In: LITTO, F. M.; FORMIGA, M. M. M. (Org.). **Educação a distância**: o estado da arte. São Paulo: Pearson Education do Brasil, 2009. p. 48-55.

PAVAM, R.; VIDAL, D. G. Depoimento: a educação conveniente. **Educação**, São Paulo, p. 33-36, 1º out. 2007.

PEREIRA, E. W.; MORAES, R. de A. A educação a distância e os desafios na formação de professores no Brasil: breves apontamentos. **A Página da Educação**, n. 1. Disponível em: <http://www.apagina.pt/?aba=7&cat=1&d oc=13491&mid=2>. Acesso em: 4 fev. 2013.

PEREIRA, M. de F. R. Concepções teóricas da pesquisa em educação. In: LOMBARDI, J. C. (Org.). **Globalização, pós-modernidade e educação**. 2. ed. Campinas: Autores Associados, 2003.

PEREIRA, M. de F. R.; PEIXOTO, E. M.; FORNALSKI, R. Educação a distância com novas TICs: que cidadania/que ontologia? **Ágora: Revista de Divulgação Científica**, Mafra, v. 17, n. 1, p. 150-158, 2010. Disponível em: <http://www.periodicos.unc.br/index.php/agora/article/view/47/164>. Acesso em: 28 set. 2012.

PERRY, W.; RUMBLE, G. **A Short Guide to Distance Education**. Cambridge: International Extension College, 1987.

_____. **A educação a distância em transição**. São Leopoldo: Unisinos, 2009.

PETERS, O. **Didática do ensino a distância**. São Leopoldo: Unisinos, 2006.

PIAGET, J. **Sobre a pedagogia**. São Paulo: Casa do Psicólogo, 1998.

PIETRO, H. C. de. **A informática como ferramenta no desenvolvimento da educação ambiental**: um estudo de caso utilizando a Serra do Jabuticabal como tema para capacitação de professores do ensino fundamental de Taquaritinga/SP. 126 f. Dissertação (Mestrado em Desenvolvimento Regional e Meio Ambiente) – Centro Universidade de Araraquara, Araraquara, 2007. Disponível em: <http://www.uniara.com.br/mestrado_drma/arquivos/dissertacao/hemerson_cleiton_pietro.pdf>. Acesso em: 27 set. 2012.

PIMENTA, S. G.; ANASTASIOU, L. das G. C. **Docência no ensino superior**. 4. ed. São Paulo: Cortez, 2010.

PINTO, A. V. **Ciência e existência**. Rio de Janeiro: Paz e Terra, 1979.

PINTO, A. V. **Sete lições sobre educação de adultos**. 13. ed. Campinas: Autores Associados; Cortez, 2003.

PINTO, G. A. **A organização do trabalho no século 20**: taylorismo, fordismo e toyotismo. 2. ed. São Paulo: Expressão Popular, 2010.

PIVA JÚNIOR, D.; FREITAS, R. L. de. A utilização de tecnologias colaborativas no desenvolvimento de habilidades e atitudes em estudantes de cursos na área tecnológica. In: CONGRESSO INTERNACIONAL ABED DE EDUCAÇÃO A DISTÂNCIA, 15., 2009, Fortaleza. **Anais**... São Paulo: Abed, 2009. Disponível em: <http://www.abed.org.br/congresso2009/CD/trabalhos/552009194038.pdf>. Acesso em: 28 set. 2012.

PRETI, O. **Fundamentos e políticas em educação a distância**. Curitiba: Ibpex, 2002.

_____. (Org). **Educação a distância sobre discursos e práticas**. Brasília, Liber Livro, 2005.

ROMÃO, E. **A relação educativa**: por meio de falas, fios e cartas. Maceió: Edufal, 2008.

SANTOS, A. R. dos. **Metodologia científica**: a construção do conhecimento. 3. ed. Rio de Janeiro: DP&A, 2000.

SANTOS, L. C. L. dos. Educação a distância na formação de professores. In: MERCADO, L. P. L.; KULLO, M. B. G. (Org.). **Formação de professores**: política e profissionalização. Alagoas: Edufal, 2004. p. 35-65.

SANTOS, S. S. Contribuições dos recursos disponíveis em ambientes virtuais de ensino para a prática avaliativa. In: CONGRESSO INTERNACIONAL ABED DE EDUCAÇÃO A DISTÂNCIA, 15., 2009, Fortaleza. **Anais...** São Paulo: Abed, 2009. Disponível em: <http://www.abed.org.br/congresso2009/CD/trabalhos/1552009223730.pdf>. Acesso em: 28 set. 2012.

SARAIVA, T. A Educação a distância no Brasil: lições da história. **Em aberto**, Brasília, v. 16, n. 70, p. 17-27, abr./jun. 1996. Disponível em: <http://emaberto.inep.gov.br/index.php/emaberto/article/viewFile/1048/950>. Acesso em: 28 set. 2012.

SAVIANI. D. **Educação**: do senso comum à consciência filosófica. São Paulo: Cortez, 1983.

_____. **Educação e questões da atualidade**. São Paulo: Cortez, 1991.

_____. **Escola e democracia**. 33. ed. Campinas: Autores Associados, 2000a.

_____. **História das ideias pedagógicas no Brasil**. 10. ed. Campinas: Autores Associados, 2010.

_____. **Pedagogia histórico-crítica**: primeiras aproximações. 7. ed. Campinas: Autores Associados, 2000b.

_____. **Trabalho e educação**: fundamentos ontológicos e históricos. In: REUNIÃO ANUAL DA ANPED, 29., 2006, Caxambu. **Anais...** Rio de Janeiro: Anped, 2006. Disponível em: <http://www.scielo.br/scielo.php?pid=S1413-24782007000100012&script=sci_arttext>. Acesso em: 1º out. 2012

_____. Transformações do capitalismo, do mundo do trabalho e da educação. In: LOMBARDI, J.; SAVIANI, D.; SANFELICE, J. L. (Org.). **Capitalismo, trabalho e educação**. Campinas: Autores Associados, 2002.

SEVERINO, A. J. **Metodologia do trabalho científico**. 23. ed. São Paulo: Cortez, 2007.

SHIROMA. E. O; MORAES, M. C. M. de; EVANGELISTA, O. **Política educacional**. 2. ed. Rio de Janeiro: DP&A, 2002.

SILVA, M. B. da; GRIGOLO, T. M. **Metodologia para iniciação científica à prática da pesquisa e da extensão II**. Florianópolis: Ed. da Udesc, 2002. (Caderno Pedagógico, v. 1).

SOUSA, E. C. B. M. de. Panorama internacional da educação a distância. **Em Aberto**, Brasília, v. 16, n. 70, p. 9-16, abr./jun. 1996. Disponível em: <http://emaberto.inep.gov.br/index.php/emaberto/article/viewFile/1047/949>. Acesso em: 28 set. 2012.

TEIXEIRA, A. **Educação não é privilégio**. 2. ed. São Paulo: Nacional, 1968.

TELES, L. A aprendizagem por e-learning. In: LITTO, F. M.; FORMIGA, M. M. M. (Org.). **Educação a distância**: o estado da arte. São Paulo: Pearson Education do Brasil, 2009. p. 72-80.

THUMS, J. **Ética na educação**: filosofia e valores na escola. Canoas: Ulbra, 2003.

UNESCO – Organização das Nações Unidas para a Educação, a Ciência e a Cultura. **Declaração Mundial sobre Educação para Todos e Plano de Ação para Satisfazer as Necessidades Básicas de Aprendizagem**. 1998. Disponível em: <http://unesdoc.unesco.org/images/0008/000862/086291por.pdf>. Acesso em: 16 jun. 2010.

_____. **O marco da ação de Dakar Educação para Todos**: atingindo nossos compromissos coletivos. Dakar, 2000. Disponível em: <www.oei.es/quipu/marco_dakar_portugues.pdf>. Acesso em: 16 jun. 2010.

_____. **O que é? O que faz?** 2007. Disponível em: <http://unesdoc.unesco.org/images/0014/001473/147330por.pdf>. Acesso em: 16 jun. 2010.

UnB – Universidade de Brasília. **Portal da Cátedra Unesco de educação a distância**. Disponível em: <http://www.fe.unb.br/catedraunescoead/areas/linha%20do%20tempo>. Acesso em: 08 nov. 2012.

VALENTE, J. A.; ALMEIDA, M. E. B. de. (Org.). **Formação de educadores a distância e integração de mídias**. São Paulo: Avercamp, 2007.

VÁZQUEZ, A. S. **As ideias estéticas de Marx**. São Paulo: Expressão Popular, 2011.

_____. **Filosofia da práxis**. São Paulo: Expressão Popular, 2007.

VEIGA, C. G. Manifesto dos Pioneiros de 1932: o direito biológico à educação e a invenção de uma nova hierarquia social. In: XAVIER, M. do C. (Org.). **Manifesto dos Pioneiros da Educação**: um legado educacional em debate. Rio de Janeiro: Ed. da FGV, 2004.

VIDAL, D. G. Escola Nova e processo educativo. In: LOPES, E. M.; FIGUEIREDO, L.; GREIVAS, C. (Org.). **500 anos de educação no Brasil**. 3. ed. Belo Horizonte: Autêntica, 2003.

XAVIER, M. do C. O Manifesto dos Pioneiros da Educação Nova como divisor de águas na história da educação brasileira. In: _____. (Org.). **Manifesto dos Pioneiros da Educação**: um legado educacional em debate. Rio de Janeiro: Ed. da FGV, 2004.

ZATTI, V. **Autonomia e educação em Immanuel Kant e Paulo Freire**. Porto Alegre: Edipucrs, 2007. Disponível em: <www.pucrs.br/edipucrs/online/autonomiaeeducacao.pdf>. Acesso em: 15 set. 2010.

ZUIN, A. A. S.; PUCCI, B.; OLIVEIRA, N. R. de. **Adorno**: o poder educativo do pensamento crítico. 3. ed. Petrópolis: Vozes, 2001.

Bibliografia comentada

CORTELAZZO, I. B. de C. **Prática pedagógica, aprendizagem e avaliação em educação a distância**. 2. ed. Curitiba: Ibpex, 2010.

Essa obra é um excelente material para orientar o estudo sobre os fundamentos da EaD e sua relação com a ciência e a tecnologia. A autora procura demonstrar as diferenças entre ciência e tecnologia e as articulações destas com a educação. Nesse livro encontramos uma abordagem histórica caracterizada por diferentes abordagens teóricas e distintas finalidades, bem como as linguagens que caracterizam as diferentes gerações da EaD, apontando algumas experiências que marcaram diferentes momentos dessa modalidade educacional.

Essa obra também aborda as tecnologias de informação e comunicação e a transposição da comunicação social para a comunicação escolar. São contempladas questões referentes à estrutura didática, à prática pedagógica e à interação e colaboração em ambientes virtuais de aprendizagem, bem como à autoaprendizagem, à avaliação e às funções da tutoria em EaD. Nas considerações finais, a autora apresenta uma reflexão sobre algumas tendências da EaD, salientando que é fundamental analisarmos qual caminho será percorrido por ela e pela educação.

GUAREZI, R. de C.; MATOS, M. M. de. **Educação a Distância sem segredos**. Curitiba: Ibpex, 2009.

Com uma linguagem muito clara e objetiva, as autoras trazem nessa obra um panorama geral da EaD, abordando conceitos, características, o processo histórico, os fundamentos e concepções educacionais. Essa obra é um incentivo para a participação no mundo da EaD, que, conforme mostram Guarezi e Matos, vem ocupando um papel de destaque nos processos educacionais em todo o mundo, principalmente no que diz respeito à oferta de educação e formação continuada em todas as áreas.

Observando as mudanças que fazem parte do cenário global, em que aprender é uma necessidade constante, as autoras defendem a integração dos conteúdos à prática, a interação entre os sujeitos do processo educacional, a possibilidade de acesso irrestrito e a ampliação das soluções da EaD, como o uso intensivo dos recursos da internet.

MATTAR, J.; MAIA, C. M. **ABC da EaD**: a educação a distância hoje. São Paulo: Pearson Education, 2007.

Essa é uma obra produzida pelos professores João Mattar e Carmen Maia, com o intuito de organizar o grande volume de informações (histórias, casos, tecnologias, fundamentos etc.) disponíveis sobre o tema EaD na atualidade. Com uma linguagem bastante clara e de fácil compreensão, o livro mescla assuntos como a história da EaD no Brasil e no mundo e os vários modelos de EaD que vêm sendo praticados, fazendo uma análise sobre as ferramentas disponíveis, os novos papéis do aluno, do professor e das instituições, os direitos autorais e o futuro da EaD. Oferece também algumas dicas e sugestões para quem deseja melhorar ou começar a trabalhar com cursos na modalidade a distância. Trata-se de uma obra fundamental para todos que possuem interesse em conhecer com mais profundidade a essa modalidade e suas implicações nos dias de hoje.

PETERS, O. **A educação a distância em transição**: tendências e desafios. Tradução de Leila Ferreira de Souza Mendes. São Leopoldo: Unisinos, 2009.

Nessa obra, com seu ponto de vista principalmente pedagógico, Otto Peters desenvolve perspectivas para preservar o legado humanitário da EaD na era da informação. É uma obra excelente para pesquisas e aprofundamentos sobre a EaD, e seu objetivo é uma interpretação pedagógica dessa modalidade de educação e da aprendizagem *on-line*. Para Peters o motivo principal para o interesse crescente na EaD são os avanços inacreditáveis nas telecomunicações, que possibilitam aos alunos a distância aprenderem face a face. O autor também apresenta um retrato dos desenvolvimentos da teoria e da prática dessa modalidade de ensino. A obra contribui fundamentalmente para a análise e discussão aprofundadas da pedagogia inerente à EaD.

Respostas

Capítulo 1

Atividades de autoavaliação

1. III, V, IV, I, II.
2. c
3. d
4. a
5. c, b, d, a.

Atividades de aprendizagem

Questões para reflexão

1. Resposta esperada: O rádio e a televisão. Desse modo, a produção em massa de materiais impressos foi suplementada pelas transmissões desses meios de comunicação.

2. Resposta esperada:
Em três momentos:

- Inicial: Marcada pelas escolas internacionais (1904), seguidas pela Rádio Sociedade do Rio de Janeiro (1923).

- Intermediário: Em que se destacam o Instituto Monitor (1939) e o Instituto Universal Brasileiro (1941).

- Moderno: No qual três organizações influenciaram a EaD no Brasil de maneira decisiva: Associação Brasileira de Teleducação (ABT); o Instituto de Pesquisas em Administração da Educação (Ipae) e, principalmente, a Associação Brasileira de Educação a Distância (Abed).

3. **Resposta esperada:** Nesse período, a EaD é caracterizada pela utilização da informática, com computadores e estações de trabalho multimídia (Pietro, 2007, p. 53). Tratou-se de um novo modelo de aprender com base em relacionamentos virtuais em ambientes informatizados, diagnosticando o fim da distinção entre o que é virtual, que é presencial e o que é a distância, pois as redes de telecomunicações e de suportes multimídias interativos estão sendo integradas às formas mais clássicas de ensino (Cruz, 2009).

Capítulo 2

Atividades de autoavaliação

1. b
2. c
3. c
4. a
5. c

Atividades de aprendizagem

Questões para reflexão

1. **Resposta esperada:** É preciso muita cautela ao se abordar a formação docente. Como procuramos mostrar, essa formação precisa ser sólida, fundamentada em princípios epistemológicos, ético-políticos e pedagógicos. A EaD oferece muitas possibilidades para a realização de uma formação docente de qualidade, sobretudo quando falamos em formação continuada. Isso tem ainda maior relevância quando pensamos em locais onde o acesso é mais difícil. Contudo, é importante perceber que esse processo não está isento de conflitos e contradições por conta dos interesses envolvidos.

2. **Resposta esperada:** Espera-se que o estudante expresse uma compreensão de EaD, que a considere antes de tudo no horizonte maior que é a esfera da educação. Antes de ser a distância, a EaD é educação, do contrário seu sentido seria esvaziado. A distância é o elemento a ser superado para que o processo de ensino e aprendizagem se realize. Com relação às características, poderão ser citadas: flexibilidade de espaço, tempo e ritmos de aprendizagem, adaptação às necessidades dos alunos, economia de tempo, espaço e recursos, o uso de tecnologias de informação e comunicação para mediar os processos de ensino e aprendizagem, a distância física entre os sujeitos da EaD, comunicação bidirecional, entre outros.

Capítulo 3

Atividades de autoavaliação

1. c

2. c

3. b

4. c

5. d

Atividades de aprendizagem

Questões para reflexão

1. Resposta esperada: Espera-se uma compreensão de EaD que não seja focalizada apenas na distância, mas que a entenda como um elemento que precisa ser superado para que o processo de ensino e aprendizagem se realize. Na superação das barreiras da distância e do tempo, a utilização dos recursos tecnológicos é importantíssima, mas é preciso compreender que a EaD é, antes de tudo, uma atividade humana.

2. Resposta esperada: Nessa resposta, espera-se que o estudante demonstre a compreensão que obteve do capítulo e da obra em seu todo, pois o objetivo é oferecer elementos para uma compreensão de EaD na qual o *quem*, os sujeitos que fazem EaD, e o *que*, o processo educativo no seu todo, completam-se para que possamos entendê-la. Então o *que* da EaD é muito mais do que apenas os recursos tecnológicos que nela são utilizados, da mesma forma que ela (a EaD) não pode ser confundida com esses recursos como se eles fossem o seu *quem*.

Capítulo 4

Atividades de autoavaliação

1. a, d, b, c.

2. d

3. b

4. b

5. b

Atividades de aprendizagem

Atividades aplicadas: prática

1. Resposta esperada: Na EaD, disciplina e autonomia são fundamentais, pois o discente não pode se limitar apenas a receber os conteúdos propostos pelos professores. Aliás, isso não seria EaD, porque não aconteceria ensino e tão pouco aprendizado da forma como foi apresentado. É preciso ir além, buscando esse conhecimento com determinação, esforço e pesquisa. Em outras palavras, é necessário produzir ou construir esse conhecimento. Nesse processo, o comprometimento e o desejo de conhecimento farão com que o aluno mostre para si mesmo que é possível aprender sem depender da figura real (presencial) do professor. Assim, pode-se dizer que a EaD é uma possibilidade de a educação acontecer na sua mais genuína essência

2. Resposta esperada: O professor de EaD deixa de ser o intermediário visível do ensino presencial para ser o agente presencial no ambiente virtual. Nesse sentido, suas responsabilidades e atribuições inevitavelmente tendem à abrangência de responsabilidade docente sobre todos os aspectos que possam interferir nessa relação, desde a adequação dos conteúdos aos meios à interação, à operacionalização dos recursos e aos materiais didáticos utilizados. A EaD exige que o aluno tenha uma postura autônoma, entretanto ele não está só, conta com uma grande estrutura pedagógica e tecnológica (na maioria dos casos). Cabe ao aluno ter disciplina e saber usar as ferramentas que são disponibilizadas para a construção de seu conhecimento, pois todo o projeto pedagógico prima por um aprendizado constante e real, mesmo o aluno estando distante.

3. Resposta esperada: Não se pode pensar em desassociar a ética da educação. A etimologia da palavra *ética* vem de *éthos* e são os costumes e formas de comportamento viabilizadoras da vida pacífica e comum das pessoas na comunidade. A difusão de valores que passam além desse princípio fundamental da justiça social se constitui em ação antiética. Nessa relação, a ética instala-se como uma realidade representativa de um dilema na educação com ênfase na educação ética considerando que, se cabe à educação preparar as pessoas para a vida em sociedade, com o desenvolvimento de competências exigidas pelo sistema, ela deverá formar cidadãos que convivam em sociedade com respeito e solidariedade.

Sobre os autores

Luís Fernando Lopes é professor universitário, mestre e doutorando em Educação pela Universidade Tuiuti do Paraná – UTP, especialista em Tutoria EaD e em Formação de Docentes e Orientadores Acadêmicos em EaD pelo Centro Universitário Uninter. É licenciado em Filosofia pela Faculdade Bagozzi, bacharel em Teologia pela Pontifícia Universidade Católica do Paraná – PUCPR e tecnólogo em *Marketing* pela Faculdade de Tecnologia Internacional – Fatec Internacional. Atuou como tutor presencial e a distância em cursos de graduação e pós-graduação e como coordenador de polo de apoio presencial. Atualmente, é coordenador de cursos de pós-graduação *lato sensu* na modalidade a distância no Centro Universitário Uninter e professor dos cursos na modalidade a distância de licenciatura em Letras e Pedagogia na mesma instituição.

Adriano Antônio Faria é natural de Lages-SC e mestre e doutorando em Educação pela Universidade Tuiuti do Paraná – UTP. Formou-se em Filosofia, Teologia, *Marketing* e Pedagogia, é pós-graduado em Metodologia do Ensino na Educação Superior, Especialização em EaD, Formação de Docentes e de Orientadores Acadêmicos em EaD e possui MBA em Gestão Estratégica e Planejamento. Participa do grupo de pesquisa Educação e História: Cultura Escolar e Prática Pedagógica, no qual investiga a história das instituições e da EaD. Educador, inovador, líder, criativo e metódico, é diretor-presidente do Instituto de Educação EduSol e gestor dos polos de apoio presencial EduSol, vinculados ao Centro Universitário Uninter, onde atua como professor no curso de licenciatura em Pedagogia (EaD) e em diversos cursos de especialização.

Impressão: Gráfica Exklusiva
Março/2019